SPRAW BY TWOJE DZIECKO ZAMIAST NIE MÓWIŁO TAK

Wychowanie dziecka bez zrzędzenia, przekupstw i gróźb

Dr Jerry Wyckoff i Barbara C.Unell

SPRAW BY TWOJE DZIECKO ZAMIAST NIE MÓWIŁO TAK

Wychowanie dziecka bez zrzędzenia, przekupstw i gróźb

Wydawnictwo K.E. LIBER
ul. Kolejowa 19/21
01-217 Warszawa
tel. (022) 862 38 22
tel./fax (022) 862 38 24
www.keliber.com.pl

Tytuł oryginału: *Getting Your Child from NO to YES*

Tłumaczenie: Rafał Lisowski

Wydano w Warszawie w 2005 roku

Skład: „Pro Media"
Druk: „ABEDIK" Poznań

ISBN: 83-88170-98-8

Dedykacja

Dla Millie Wyckoff i Roberta Unella,
za ich miłość i zrozumienie, z których czerpaliśmy radość,
humor, nadzieję, wiarę, pewność siebie i satysfakcję,
oraz za to, że nadali sens i cel każdemu dniu naszego życia

SPIS TREŚCI

Przedmowa

Od dwudziestu lat jeździmy po Stanach Zjednoczonych, ucząc rodziców, jak wychowywać dzieci bez krzyku i klapsów, jak rozwijać ich wrodzone talenty oraz jak stać się pierwszymi nauczycielami swoich małych pociech. Tysiące rodziców, dziadków, wychowawców i opiekunek prosiło nas o łatwe w zastosowaniu metody motywowania dzieci do współpracy.

Nasze doświadczenie przekonało nas, że w dzisiejszym zagonionym, znerwicowanym świecie, pragnącym natychmiastowej satysfakcji, książka taka jak ta jest bardzo potrzebna. Jednym naciśnięciem guzika zmieniamy kanały, by obejrzeć najświeższe wiadomości. Mikrofalówka w kilka minut dostarcza nam śniadanie, obiad i kolację. Jednym ruchem ręki włączamy nową grę komputerową albo opracowujemy nasz plan dnia w elektronicznym organizerze.

Nic więc dziwnego, że coraz więcej rodziców oczekuje od swych dzieci natychmiastowego posłuszeństwa. Nie otrzymując go, uciekają się do zrzędzenia, zawstydzania, wywoływania poczucia winy, przekupstwa grożenia klapsami bądź innymi formami przemocy. Choć sposoby te istotnie mogą sprawić, że dziecko wykona polecenie, łamią przy tym jego wolę, budząc przy tym jego gniew i rozgoryczenie. Dzieci współpracują nie dlatego, że chcą, ale dlatego, że boją się sprzeciwić. W niniejszej książce opisujemy owe szkodliwe metody, by pokazać rodzicom, jak dużą krzywdę można nimi wyrządzić.

Z kolei pozytywne strategie, które prezentujemy, nie tylko motywują dzieci do współpracy z rodzicami, ale także uczą je, jak działać w zespole, znosić frustrację, podejmować odpowiedzialne decyzje oraz cierpliwie czekać na zadośćuczynienie. Pomagają także budować silne więzi rodzic-dziecko, oparte na zaufaniu i bezwarunkowej miłości.

Z badań wynika, że rodzice stają przed problemem zmotywowania swych pociech do współpracy kilkaset razy dziennie! Każdą z tych okazji można wykorzystać, by rozwijać w sobie cierpliwość, empatię, tolerancję i zdolności negocjacyjne oraz by wykształcać te cechy w dzieciach. Jednocześnie można też wspierać ich kiełkujące poczucie niezależności, okazać szacunek dla ich potrzeby panowania nad własnym światem oraz docenić cud rozwoju od niemowlęcia do małego dziecka. Warto mieć tę książkę cały czas pod ręką. W trudnych chwilach zasugeruje ona konstruktywne myśli, czyny i słowa. Twoje dziecko słucha!

Pomyśl, co mówisz; dzieci słuchają.
Pomyśl, co robisz; dzieci patrzą i uczą się.
Dzieci bywają nieposłuszne, ale słuchają.
Dzieci zwrócą się do ciebie, byś wskazał im drogę i nauczył, kim być.
Pomyśl, zanim powiesz: „słuchaj się mnie"; dzieci słuchają!

— Stephen Sondheim, „Children Will Listen"
z musicalu „Into the Woods"

Podziękowania

Z całego serca dziękujemy wszystkim maluchom oraz ich oddanym rodzicom i wychowawcom, którzy – świadomie i nieświadomie – nieustannie przypominali nam o sensie naszego przesłania. Szczególne podziękowania kierujemy do rodziców z Grupy Rodzicielskiej Episkopalnego Kościoła Jezusa Chrystusa, rodzicom z przedszkola Świątyni B'nai Jehudah, przedszkola Beth Shalom, organizacji Rodzice Nauczycielami oraz tysiącom rodziców i wychowawców, którzy podzielili się z nami swym życiem.

Wyrazy wdzięczności i szacunku kierujemy do ludzi, którzy udzielili nam lekcji biologii, psychologii, medycyny, a także duchowości, która natchnęła niniejszą książkę. Są to: dr. Martin E. P. Seligman, Norman Cousins, dr Daniel Goleman, Norman Vincent Peale, dr med. Daniel Amen, dr Steven Pinker, dr Barbara Fredrickson, dr Jonathan Haidt, dr med. Deepak Chopra, Richard Carlson, dr med. Andrew Weil, dr David Simon, dr Michael Meyerhoff, Marguerite Kelly, dr med. Amie Jew, Jennifer Bingham, dr med. James Coster, Al Buehler, Rachel Schanberg, dr med. Carol Fabian, Peter Yarrow i Mark Weiss.

Wdzięczni jesteśmy naszemu wydawcy, Josephowi Gredlerowi, za jego wiarę w cechy takie jak szacunek i życzliwość oraz za to, że tak często okazywał je w pracy z nami. Chcemy także podziękować Beth Vesel i Bruce'owi Lansky'emu za ich oddanie i cenne uwagi podczas naszej wspólnej drogi twórczej.

W końcu, podziękowania należą się oczywiście naszym ukochanym dzieciom, dzięki którym droga ta w ogóle się rozpoczęła: Amy Elisabeth Unell, Justinowi Alexowi Unellowi, Christopherowi Brittonowi Wyckoffowi i Allison Leigh Wyckoff.

Wstęp

Istnieje jedno ważne równanie, które pomoże ci zachęcić twoje dziecko do współpracy: zdolność + motywacja = sukces. Niezależnie od wieku, by wykonać polecenie, należy być do tego nie tylko fizycznie i umysłowo *zdolnym*, ale również trzeba tego *chcieć*. Dla przykładu, jeśli każesz dziecku się ubrać, musi ono wiedzieć, w jaki sposób założyć ubranie, ale także potrzebuje przekonującego powodu, by to zrobić.

W tym właśnie leży problem rodzicielstwa: to, co jest istotne dla ciebie, nie musi być istotne dla twojego dziecka. Być może chcesz, by malec ubrał się, ponieważ musisz zawieźć go do przedszkola i zdążyć do pracy – ale on może chcieć dalej bawić się zabawkami, bowiem nie ma jeszcze w ogóle poczucia czasu. Twoje zadanie dzieli się wówczas na dwie części: po pierwsze musisz stwierdzić, czy jest w stanie samodzielnie się ubrać, a następnie dać mu powód, by tego *chciał*.

Nauczenie dziecka woli współpracy to zadanie wymagające dużych nakładów czasu i cierpliwości, ale korzyści z sukcesu pozostaną na całe życie. Stosując właściwe metody opisane w niniejszej książce (oraz unikając tych szkodliwych), zbudujesz silną, opartą na miłości więź ze swym dzieckiem, nauczysz je znaczenia pracy w zespole, a także pomożesz mu cierpliwiej czekać na zadośćuczynienie oraz łatwiej znosić frustrację. Nauczysz je również lepiej wyrażać swe uczucia, współczuć innym oraz podejmować odpowiedzialne decyzje. Wszystkich tych zdolności dziecko powinno się nauczyć właśnie na tym etapie rozwoju, najlepiej zaś, by naukę tę wyniosło od swego pierwszego i najważniejszego nauczyciela – od ciebie.

Czemu małe dzieci mówią „nie"

Maluchy i przedszkolaki żyją w świecie skoncentrowanym wokół nich samych. Chcą robić *to*, co chcą, i *kiedy* chcą – z punktu widzenia ich rozwoju takie zachowanie jest jak najbardziej właściwe. Lubią także stałość i przewidywalność. To dlatego często odmawiają, chcąc uniknąć nieznanego („Nie chcę wsiąść do samolotu!"), zmiany („Nie chcę iść do nowego przedszkola!"), niepowodzenia („Nie chcę ćwiczyć na pianinie!") oraz utraty kontroli („Nie chcę iść do przedszkola!").

Co więcej, rodzice często nieświadomie zachęcają swe pociechy do nieposłuszeństwa, ignorując je wówczas, gdy współpracują, dokładnie natomiast zapamiętując każdy przypadek, gdy tego nie robią. Dzieci szybko uczą się, że to właśnie nieposłuszeństwo jest dobrym sposobem na zwrócenie uwagi rodziców. Wreszcie, dzieci zwykle nie dostrzegają szerszego kontekstu, którym kierują się rodzice wydając im polecenia. Maluchy nie mają poczucia czasu, dlatego też nie pojmują, czemu mama i tata ciągle się spieszą.

Pięć ważnych pytań

Zanim negatywnie zareagujesz, gdy twoje dziecko powie „nie", zadaj sobie pięć poniższych pytań.

Jak bym się czuła na miejscu mojego dziecka? Wzięcie pod uwagę punktu widzenia swojego dziecka to pierwszy krok do znalezienia właściwej metody motywacji. Czy jest zmęczone? Czy świetnie się właśnie bawi, budując coś z klocków? Czy ogląda właśnie ulubioną kreskówkę? Czy boi się czegoś, co każesz mu zrobić? Gdy zrozumiesz jego priorytety, będziesz mogła pomóc mu zrealizować twoje.

Co moje dziecko jest w stanie zrobić? Czy twoje oczekiwania nie są zbyt wysokie? Czy twoje dziecko potrafi zrobić to, o co prosisz? Czy cię dobrze słyszy? Czy rozumie słowa, których używasz? Pamiętaj, że każde dziecko jest wyjątkowe i rozwija się według swego własnego „rozkładu jazdy". Jeśli autentycznie martwisz się jego tempem jego rozwoju, skonsultuj się z odpowiednim lekarzem.

Czy nauczyłam moje dziecko tego, o co go teraz proszę? Czy przećwiczyłaś z nim każdy etap, tak że teraz rozumie, co ma robić? Jeśli nie, poświęć mu trochę czasu; na przykład zanim zaczniesz wymagać, by samodzielnie myło zęby, naucz je, jak to się robi. Być może trzeba będzie wielokrotnie powtórzyć lekcję, zanim twoja pociecha opanuję daną umiejętność. Pamiętaj: najważniejsza jest cierpliwość!

Ile poleceń na raz moje dziecko potrafi wykonać? Jeśli jednocześnie każesz mu się ubrać, wyłączyć telewizor i odłożyć zabawki na miejsce – czy zapamięta wszystkie polecenia? Czy będzie w stanie zachować skupienie do czasu, aż to wszystko wykona? Jeśli nie, przetestuj jego zdolność wykonywania poleceń. Gdy już będzie umiało wykonać jedno, spróbuj z dwoma, a w końcu z trzema.

Czy jestem dobrym wzorem dla mojego dziecka? Czy twoje dziecko kiedykolwiek widziało, jak ty sama szczotkujesz zęby? Jak myjesz ręce? Jak używasz serwetki? Jak zapinasz pasy? Jeśli nie, miej na względzie, że ono zawsze bierze z ciebie przykład. Pamiętaj: stosuj się do własnych nauk!

Szkodliwe sposoby motywowania dzieci

To naturalne, że rodzice irytują się, gdy ich dzieci odmawiają współpracy. Często kończy się to zrzędzeniem („Ile razy mam ci powtarzać?"), osądzaniem („Ale z ciebie leń!"), błaganiem („Zrób to dla mamusi"), wzbudzaniem poczucia winy („Znowu się przez ciebie spóźnię!") albo zawstydzaniem („Rozczarowujesz mnie!"). Kiedy i to nie skutkuje, rodzice uciekają się do przekupstwa („Jeśli założysz buty, dam ci cukierka"), a w ostateczności również do gróźb („Jeśli nie założysz butów, dostaniesz klapsa").

Metody te mogą się wydawać uzasadnione, gdy rodzice traktują brak współpracy ze strony dziecka jako akt nieposłuszeństwa. Obawiają się, że malec nigdy nie będzie ich słuchać, a także – że nie będzie w stanie dogadywać się z rówieśnikami ani wykonywać poleceń w szkole. Być może ich rodzice stosowali podobne metody wobec nich samych, a przez to podobne reakcje wydają się im naturalne w sytuacji, gdy przez swój sprzeciw dziecko zapędza ich pod ścianę. Mogą też czuć złość lub zawstydzenie, myśląc, że malec stawia ich w złym świetle.

Takie irracjonalne myślenie bierze się z faktu, iż rodzice zdają sobie wówczas sprawę z braku panowania nad zachowaniem dziecka. Mówią sobie, że muszą odzyskać nad nim kontrolę, bo w przeciwnym razie konsekwencje będą tragiczne. Złoszczenie się na dziecko oznacza, że rodzice muszą zmienić sposób wewnętrznego dialogu. Badania pokazują, że racjonalny dialog ze sobą samym może zneutralizować nieracjonalne reakcje na „niebezpieczeństwa", jakie rodzice dostrzegają w zachowaniu swych dzieci. Przekonanie, że dziecko buntuje się przeciw nim, może sprawić, że zaczną je obwiniać, zawstydzać, osądzać i karać, uznając, że są to właściwe metody zapobiegania dalszemu nieposłuszeństwu. Z drugiej natomiast strony, świadomość, że zachowanie malca jest prawidłowe z punktu widzenia jego rozwoju, pomoże rodzicom spojrzeć na całą sytuację jako na szansę wychowawczą. Dzięki temu będą mogli pracować razem z dzieckiem, a nie przeciwko niemu.

Ze zrzędzenia, przekupstwa i gróźb nie może wyniknąć nic pozytywnego. Nawet jeśli szkrab zrobi, co mu się każe, uczyni tak ze strachu, wstydu lub poczucia winy. Nie nabędzie przy tym umiejętności potrzebnych, by współżyć z otaczającym go światem jako odpowiedzialny, samowystarczalny i rozsądny człowiek. Nauczy się czegoś dokładnie odwrotnego: jak zastraszać innych, by osiągnąć swój cel.

Właściwe sposoby motywowania dzieci

Właściwe dzieciom uczucie empatii musi się rozwijać w środowisku pełnym miłości i poczucia bezpieczeństwa. Dlatego też rodzice sami muszą się nauczyć rozumieć swą pociechę oraz dbać o to, by przestrzegać reguł, które wprowadzają. Dzieci uczą się dbać o innych, jeśli ktoś dba o nie; uczą się szacunku, gdy same są szanowane. Rodzice zdobywają zaufanie, dziecka pokazując mu, jak podejmować decyzje, przestrzegać zasad oraz przyjmować konsekwencje dokonanych wyborów. Pozytywne strategie opisane poniżej ułatwią rodzicom wyrobienie w sobie cierpliwości i umiejętności samokontroli, niezbędnych w codziennym dążeniu do zmiany dziecięcego „nie" w „tak".

Okaż empatię. Pokaż dziecku, że rozumiesz jego obawy. Dodasz mu tym pewności siebie oraz pokażesz, że szanujesz jego zdanie. W efekcie będzie to dla niego stanowić motywację do współpracy w roli członka twojego „zespołu". Jeśli natomiast wciąż będziesz je ganić, winić, narzekać, zawstydzać i osądzać, odwróci się od ciebie, a do tego zacznie stosować podobne metody wobec innych ludzi.

Wprowadź Regułę Babuni. Oto, co mówi Reguła Babuni: „Kiedy zrobisz to, o co cię proszę, możesz zrobić to, co chcesz". Takie oto pokojowe rozwiązanie konfliktów na linii rodzic-dziecko pokazuje malcowi, jak ważne jest to, by spełnić swe obowiązki *zanim* przejdzie się do zajęć, na które ma się ochotę. W ten sposób dziecko uczy się cierpliwości oraz odporności na frustrację. Wyrabia ono w sobie wewnętrzną motywację do wykonania pracy, by następnie móc cieszyć się zabawą. Ostatecznym celem Reguły Babuni jest nauczenie go solidarnego, drużynowego podejścia do wypełniania planów, w którym obie strony wygrywają.

Sposób ten należy odróżnić od przekupstwa, kiedy to mówi się dziecku: „Jeśli zrobisz, o co proszę, dostaniesz nagrodę". Takie podejście uczy je bowiem upominania się o materialny zysk przed nawiązaniem współpracy. Kiedy zrozumie, że jego posłuszeństwo można kupić, motywacja pozostanie wyłącznie zewnętrzna i zależeć będzie jedynie od wielkości nagrody, którą może otrzymać.

Ucz przez dawanie wyboru. Gdy dajesz dziecku wybór, pomagasz mu wyrobić umiejętność podejmowania decyzji. Możesz na przykład powiedzieć synowi: „Masz wybór. Możesz grzecznie bawić się z siostrą albo możesz się bawić sam". Zmotywuje go to do grzecznej zabawy z siostrą, gdyż bardzo chce zostać w jej towarzystwie.

Zastraszając dziecko i grożąc mu karą w przypadku niewykonania polecenia, pokazujemy natomiast, iż nie ma w danej kwestii żadnego wyboru. Ponieważ malca nie dopuszcza się do głosu, jego złość, rozgoryczenie i niechęć do współpracy wzrosną – czyli stanie się coś dokładnie odwrotnego niż to, do czego dążysz. Groźba budzi strach, a ten skłania dziecko do ucieczki lub buntu, a nie do współpracy.

Groźby stawiają cię poza tym w trudnej sytuacji. Jeśli malec mimo wszystko cię nie posłucha, zmuszona będziesz wykonać karę, krzywdząc dziecko i nadszarpując łączącą was więź. Jeśli natomiast zrezygnujesz z wykonania kary, ucierpi na tym twoja wiarygodność. Odkrywszy, że twoja groźba była pusta, maluch w ogóle przestanie wierzyć, iż naprawdę masz na myśli to, co mówisz. Strach przed karą ustąpi miejsca obawie, że nic nie jest takie, jakie się wydaje. By uniknąć tych konsekwencji, najlepiej unikać gróźb.

Jak korzystać z tej książki

Celem każdego rozdziału jest zarówno osiągnięcie krótkoterminowego celu (sprawienie, by dziecko zrobiło to, o co prosisz), jak i szeregu celów długofalowych (nauczenie, jak radzić sobie z frustracją, cierpliwie czekać na nagrodę, wyrażać swe uczucia, współczuć innym, podejmować decyzje oraz działać w zespole).

Tytuły rozdziałów odzwierciedlają typowe polecenia rodziców oraz częste reakcje maluchów. Towarzyszą im krótkie opisy sytuacji z punktu widzenia psychologii rozwoju dziecka.

Dział pt. „Przydatne wskazówki" zawiera sugestie, jak zachęcać dziecko do współpracy oraz poprawić szanse zmotywowania go do słuchania, wykonywania poleceń i robienia, o co je prosisz.

W dziale pt. „Dialog ze sobą" znajdziesz myśli, które „wymieniasz" sama ze sobą, ustalając swój stosunek do bieżących wydarzeń. Dialog ze sobą to ów głosik w twojej głowie, który identyfikuje zdarzenie albo jako problem nie do pokonania, albo jako okazję, by pomóc dziecku nabyć ważną umiejętność. Pamiętaj, że cokolwiek się dzieje, samo w sobie jest naturalne; to ty czynisz je pozytywnym lub negatywnym, w zależności o twojego sposobu, w jaki o tym myślisz.

Bardzo ważne jest myślenie o swym podejściu do dziecka *zanim* cokolwiek powiesz, gdyż to właśnie owo podejście zdeterminuje twoją reakcję. Dla przykładu, jeśli uznasz odmowę współpracy za akt buntu, najpewniej zareagujesz negatywnie. Jeśli zaś potraktujesz to jako okazję do nauczenia dziecka czegoś ważnego, twoja reakcja ma szansę być rozsądna i odpowiedzialna.

W dziale „Dialog z dzieckiem" znajdziesz to, co mówisz do dziecka, by je zmotywować. Podobnie jak w przypadku „Dialogu ze sobą", zawsze należy zwrócić uwagę nie tylko na to, co powiedzieć, ale również na to, czego (oraz dlaczego) *nie mówić*. Scenariusze w rubryce „Nie mów" pokazują, czego unikać – zachowania w nich opisane motywują strachem, wstydem lub poczuciem winy. Zachęcamy natomiast, byś korzystała ze scenariuszy w rubryce „Powiedz"– są to metody motywacji poprzez szacunek, empatię, życzliwość oraz bezwarunkową miłość.

CZĘŚĆ I

WYJŚCIE Z DOMU

Droga jest długa – chodźmy razem. Droga jest trudna – pomagajmy sobie. Droga jest radosna – dzielmy się nią. Droga jest tylko nasza – chodźmy w miłości.

—Joyce Hunter

ROZDZIAŁ I

„Czas już iść”
„Nie! Nie chcę jeszcze iść!”

Kawa krzepi, rozmowa relaksuje – powrót do pracy po przyjemnej przerwie na lunch jest ostatnią rzeczą, na którą masz ochotę. Dokładnie tak samo czuje się twój trzylatek, protestując przeciwko opuszczeniu parku albo domu kolegi. Zamiast oczekiwać natychmiastowego posłuszeństwa, daj mu odpowiednio dużo czasu na bezstresową zmianę sytuacji. Niech dziecko zaczyna się żegnać z kolegą i przygotowywać do wyjścia na kilka minut, zanim faktycznie będziecie musieli iść. W ten sposób będzie się uczyć, jak żyć w świecie, który nie zawsze działa w zgodzie z jego własnym rozkładem dnia.

Przydatne wskazówki

- Zanim się gdzieś udacie, wyjaśnij dziecku, jak będą wyglądać poszczególne czynności. Powiedz na przykład: „Dam ci znać, gdy za pięć minut trzeba będzie iść. Będziesz miała dużo czasu, żeby pożegnać się z koleżankami, założyć kurtkę i przygotować się do wyjścia”.
- Przygotowując się do wyjścia, pomóż dziecku wykonać niezbędne zadania, takie jak założenie kurtki, odłożenie zabawek, skorzystanie z toalety itd.
- Twoje nastawienie i komentarze są „zaraźliwe”, dlatego staraj się, by były one pozytywne, a współpraca będzie się wam wówczas łatwiej układać.

Dialog ze sobą

Nie mów sobie:

„Nie zniosę nieposłuszeństwa mojego dziecka”

Mówiąc, że nie możesz czegoś znieść, wzbudzasz w sobie uczucie beznadziejności, uniemożliwiając znalezienie twórczego rozwiązania problemu. Wmawiając sobie, że nie zniesiesz nieposłuszeństwa dziecka, możesz także wywołać w sobie gniew i frustrację, a to może dodatkowo zniechęcić twoją pociechę do współpracy.

Zamiast tego powiedz sobie:

„Potrafię poradzić sobie z tym, że moje dziecko potrzebuje być niezależne i samo podejmować decyzje"

Masz wolny wybór, jak zareagować na zachowanie twojego dziecka. Mówiąc sobie, że *potrafisz* coś zrobić, poprawiasz własną pewność siebie, a pozytywne emocje, które w ten sposób wyzwalasz, uczynią twój umysł bardziej otwartym na różnorodne rozwiązania. Pozytywnie nastawiona i pełna zrozumienia dla swej pociechy, nawiążesz z nią dobry kontakt i okażesz jej wsparcie, a jest to przecież niezbędne by zmotywować ją do współpracy.

Nie mów sobie:

„Ci ludzie na pewno myślą, że jestem niekompetentnym rodzicem"

Gdy zaczniesz wyobrażać sobie, iż ludzie sądzą, że jesteś złym rodzicem, możesz w to naprawdę uwierzyć, a to utrudni ci znalezienie konstruktywnych sposobów radzenia sobie z zachowaniem twojego dziecka. Nie martw się o to, czego nie znasz i nie możesz kontrolować – w tym o opinię otaczających cię osób.

Zamiast tego powiedz sobie:

„Moim celem nie jest zaimponowanie innym"

Pamiętaj, że twój długofalowy cel to nauczenie dziecka jak współpracować, radząc sobie ze zmianą i frustracją. Mając to na uwadze będziesz mogła przygotować skuteczniejszą odpowiedź.

Nie mów sobie:

„Ale ten dzieciak mnie denerwuje! Nie wiem, co mu zrobię, jak ZARAZ nie zacznie się przygotowywać do wyjścia"

Samo zachowanie twojego dziecka nie może cię zdenerwować; mogą tego dokonać jedynie twoje *myśli* o jego zachowaniu. Jeśli żądasz czegoś, nad czym nie potrafisz panować – na przykład współpracy ze strony dziecka – jest duża szansa, że wpadniesz w złość. Pamiętaj, że to ono wybiera, czy chce słuchać twoich poleceń, więc pomóż mu nauczyć się podejmować tę decyzję.

Zamiast tego powiedz sobie:

„Nie będę żądać, by moje dziecko było mi posłuszne. To jedynie wprawia mnie w złość"

Decyzja by ulec złości blokuje umiejętność rozwiązywania problemów z empatią. Jeśli pomyślisz o tym, że *chciałabyś*, by dziecko współpracowało, otworzysz swój umysł na twórcze metody zachęcenia go do tego.

Dialog z dzieckiem

Nie narzekaj. Nie mów:

„Dlaczego nigdy nie robisz tego, o co cię proszę? Ile byśmy nie zostali, zawsze ci mało!"

W ten sposób sugerujesz, że dziecko ma wrodzoną wadę charakteru, a nie naturalne dla jego etapu rozwoju pragnienie działania zgodnie z własnymi priorytetami.

Zamiast tego wydaj mu polecenie. Powiedz:

„Za pięć minut musimy iść. Zacznijmy już zbierać rzeczy"

Delikatnie przypominając dziecku o tym, jak przebiega proces wychodzenia, pozwalasz mu spokojnie zakończyć to, co robi, i przygotować się na zmianę, która wkrótce nastąpi.

Nie gróź. Nie mów:

„Nie waż się mówić »nie«, młoda damo! Jeśli nie będziesz grzeczna, dostaniesz klapsa!"

Grożąc dziecku przemocą fizyczną dajesz mu jedynie znać, że jesteś większa i silniejsza oraz że przemoc jest dozwolonym sposobem zmuszania mniejszych i słabszych, by zrobili to, czego od nich oczekujesz.

Zamiast tego okaż empatię. Powiedz:

„Rozumiem, że nie chcesz jeszcze wychodzić, ale czasami jesteśmy zmuszeni robić rzeczy, na które nie mamy ochoty"

Stawiając się w sytuacji dziecka pokazujesz, że aprobujesz jego uczucia. Dzięki temu możesz je nakłonić do współpracy, a przy tym zrealizować długofalowy cel: uczysz je, jak trzymać się planu i jak sobie radzić z rozczarowaniem.

Nie donoś. Nie mów:

„Poczekaj no tylko aż twój ojciec dowie się, jaka jesteś nieposłuszna. Będzie bardzo niezadowolony"

Donoszenie na dziecko uczy je, że powinno się bać rodziców oraz że posłuszeństwo można uzyskać grożąc gniewem osób trzecich, a do tego demonstruje, w jaki sposób donosić na innych. Mówiąc: „twój ojciec nie będzie z ciebie zadowolony", pokazujesz, że miłość rodziców nie jest bezwarunkowa. Z kolei etykietka nieposłuszeństwa mówi mu, że to, co robi, określa to, kim jest. Takie komunikaty osłabiają twoją więź z dzieckiem.

Zamiast tego zaproponuj grę. Powiedz:

„Liczę do dziesięciu. Zobaczymy, czy zdążysz założyć kurtkę. Uwaga! Raz, dwa..."

Zneutralizuj potencjalnie wybuchową sytuację za pomocą zabawnej gry. Zamiast na sprzeciwie, uwaga dziecka skupi się na współzawodnictwie, sprawiając, że podąży w oczekiwanym przez ciebie kierunku. Jeśli nie zdąży się samodzielnie ubrać, gdy dotrzesz do dziesięciu, powiedz: „Przykro mi, nie zdążyłaś. Teraz ci pomogę, a gdy wrócimy do domu, poćwiczymy jeszcze tę grę, żebyś umiała się ubrać, zanim skończę liczyć".

Nie przekupuj. Nie mów:

„Skarbie, jeśli teraz ze mną pójdziesz, zatrzymamy się w sklepie i kupię ci coś słodkiego"

Przekupstwo zachęca dziecko do odmowy współpracy aż do momentu obietnicy materialnej nagrody za posłuszeństwo. Stosowanie jedzenia jako nagrody komplikuje jedynie sytuację, Identyfikując je z twoją aprobatą możesz doprowadzić do zaburzeń odżywiania oraz szeregu innych związanych z tym problemów.

Zamiast tego zaprezentuj pozytywną konsekwencję. Powiedz:

„Wyjście na czas oznacza,
że szybko będziemy mogli tu wrócić"

W ten sposób dziecko nauczy się, że współpraca jest kluczem do osiągnięcia własnego celu w przyszłości – to ważny pierwszy krok ku umiejętności cierpliwego oczekiwania na nagrodę i znoszenia chwilowej frustracji.

ROZDZIAŁ 2

„Wsiądź do samochodu"
„Nie! Nie chcę wsiadać do samochodu!"

Czy twój czteroletni wiercipięta nie chce wsiąść do samochodu, bo nie lubi zapinać pasów? Może jest zmęczony lub głodny? A może chce zostać w domu, by się bawić? Możliwe również, że boi się bólów brzucha, które często zdarzają się podczas jazdy. Zapytaj dziecko, co czuje, a będziesz w stanie zapanować nad sytuacją i upewnić się, że podróż będzie przyjemnością dla wszystkich jej uczestników.

Przydatne wskazówki

- Jeśli to tylko możliwe, unikaj krótkich przejażdżek (takich jak np. robienie zakupów) przed obiadem lub porą drzemki, by twoje dziecko nie stało się marudne. Jeśli jednak planujesz dłuższą jazdę, możesz ją zaplanować właśnie na czas snu, by maluch mógł się zdrzemnąć w samochodzie.
- Jeśli wiesz, że twoje dziecko nie lubi jazdy samochodem, zapewnij dopływ świeżego powietrza, dobry widok na drogę, albo puszczaj podczas jazdy jego ulubione piosenki, by jazda była czymś, na co twoja pociecha będzie czekać.

Dialog ze sobą

Nie mów sobie:

„Jakby wszystkiego było mało, teraz jeszcze moje dziecko zrobiło się uparte"

Jeśli będziesz patrzeć na swe życie jako na pasmo problemów, poczujesz się nimi przygnieciona, przygnębiona i zestresowana. Będziesz także na dobrej drodze ku depresji i użalaniu się nad sobą. Każda przesada i negatywne etykietki pogarszają jedynie nasze problemy.

Zamiast tego powiedz sobie:

„To, że moje dziecko jest teraz uparte, nie oznacza, że zawsze takie będzie"

Przyjęcie optymistycznego nastawienia zmienia upór twej pociechy w chwilową niedogodność, pozwalając podejść do problemu cierpliwie i konstruktywnie.

Nie mów sobie:

„Nie warto się o to bić. Po prostu nie pojadę dziś po zakupy"

Rezygnując z własnych planów nauczysz swe dziecko, że narzekanie może być dla niego kluczem do osiągnięcia celu. Pokazujesz mu również, że poddanie się w obliczu przeciwności jest w porządku.

Zamiast tego powiedz sobie:

„Nie muszę rezygnować z moich planów tylko dlatego, że moje dziecko nie chce wsiąść do samochodu. Znajdę sposób, by przekonać je do współpracy"

Pozytywne podejście wyrobi w tobie cierpliwość i wytrwałość, ułatwiając rozwiązanie problemu.

Nie mów sobie:

„Moje dziecko myśli, że może mnie wykorzystać, bo jestem samotną matką"

Zrzucając winę za opór dziecka na fakt bycia samotnym rodzicem wytwarzasz w sobie mentalność ofiary, a także zaczynasz postrzegać nauczenie malca posłuszeństwa w kategoriach zwycięstwa lub porażki – a to bardzo niezdrowy, destruktywny sposób myślenia.

Zamiast tego powiedz sobie:

„Rozumiem, co czuje moje dziecko. Ja też nie zawsze robię to, na co mam ochotę"

Okazanie dziecku zrozumienia wzmaga w nim chęć współpracy. Gdy pomagacie sobie nawzajem i funkcjonujecie jako jeden zespół, oboje możecie osiągnąć swe cele.

Dialog z dzieckiem

Nie zastraszaj. Nie mów:

„Natychmiast wsiadaj do samochodu, albo pożałujesz!"

Grożenie dramatycznymi konsekwencjami pokazuje dziecku, że może się opierać do czasu, gdy kara nie stanie się nieunikniona – nie uczy go natomiast chęci współpracy. Dodatkowo zmusza cię do wykonania kary, w przypadku gdy uzna, że blefujesz. Jeśli się wycofasz, nauczysz dziecko, że nie zawsze naprawdę masz na myśli to, co mówisz. Najlepiej uniknąć zarówno groźby, jak i konieczności dotrzymania słowa.

Zamiast tego daj mu wybór. Powiedz:

„Możesz wsiąść do samochodu i dobrze się bawić albo wsiąść i czuć się paskudnie przez całą drogę. Sam zdecyduj"

Pomagając dziecku postrzegać zaistniałą sytuację jako możliwość wyboru, uczysz je samodzielnie decydować, jak chce się czuć. Co więcej, w ten sposób malec ćwiczy radzenie sobie z tym, czego nie lubi.

Nie przekupuj. Nie mów:

„Jeśli wsiądziesz do samochodu, dostaniesz ciasteczko"

Przekupstwo słodyczami daje jedzeniu niezdrową moc uszczęśliwiania twojego dziecka. Uczy go również, że za swój opór może dostać nagrodę.

Zamiast tego zaproponuj umowę. Powiedz:

„Jeśli usiądziesz w foteliku i zapniesz pasy, włączymy twoją ulubioną piosenkę i będziemy razem śpiewać. To jedna z fajnych rzeczy, które można robić w samochodzie"

Reguła Babuni uczy dziecko, że możliwe jest jednoczesne kontrolowanie sytuacji i wykonywanie poleceń. Gdy współpracuje, może robić to, co lubi.

Nie gróź. Nie mów:

„Jeśli natychmiast nie wsiądziesz do samochodu, dostaniesz lanie"

Grożąc karą cielesną, pokazujesz dziecku, że przemoc jest konsekwencją odmowy współpracy. Uczysz je również być posłusznym tylko po to, by uniknąć kary, nie zaś dlatego, że współpraca pozawala wam osiągnąć cele korzystne dla was obojga.

Zamiast tego zadawaj pytania. Powiedz:

„Rozumiem, że nie chcesz wsiąść do samochodu, ale nie wiem dlaczego. Czy możesz mi to wytłumaczyć?"

Zapytane o przyczynę odmowy, dziecko dostaje szansę opisania problemu, z którego być może nie zdajesz sobie sprawy. Może to być ból brzucha, albo fakt, że nie dosięga do okna i nie widzi, co się dzieje na zewnątrz. Jednocześnie dajesz mu sygnał, że interesujesz się jego zdaniem i cieszysz się, że chce je wyrazić. Gdy zaś odkryjesz problem, możesz zająć się jego rozwiązaniem, zamiast skupiać się na nieposłuszeństwie twojej pociechy.

Nie złość się. Nie mów:

„Prosiłam grzecznie już trzy razy. Teraz się zdenerwuję!"

Złość uczy dziecko wykonywać polecenia by uniknąć twojego gniewu, nie po to, żeby grać z tobą w jednej drużynie.

Zamiast tego przedstaw zalety sytuacji. Powiedz:

„Wiem, że nie chcesz wsiąść do samochodu, ale ja muszę jechać do pracy, a ty do żłobka. Kiedy wsiądziesz i zapniesz pasy, będziesz się mogła pobawić zabawkami, które trzymamy w samochodzie"

Pomóż swemu dziecku zrozumieć, że choć niektóre prośby nie podlegają negocjacji, to ich wykonywanie wciąż może być przyjemne. Trzymając w samochodzie lubiane przez malucha zabawki i książki dostarczasz mu pozytywnego bodźca, by chciał współpracować.

ROZDZIAŁ 3

„Usiądź w foteliku”
„Nie! Nie chcę siedzieć w foteliku!”

Zastanów się, jak byś się czuła, gdyby przywiązano cię do krzesła, nie mówiąc dlaczego. W ogóle nie byłabyś zainteresowana współpracą z „oprawcą”! Pamiętaj zatem, jak czuje się twoje dwuletnie dziecko „uwięzione” w samochodowym foteliku, podczas gdy będziesz mu spokojnie acz stanowczo tłumaczyć, jak ważne jest to dla jego bezpieczeństwa. Koniec końców, uczysz je, że pewne zasady nie podlegają negocjacji – i jazda w foteliku jest jedną z nich.

Przydatne wskazówki

- Wprowadź reguły dotyczące jazdy samochodem. Jedną z nich powinno być pozostawanie w pasach bezpieczeństwa aż do chwili osiągnięcia celu podróży.
- Zawsze zapinaj pasy, by twoje dziecko mogło naśladować twoje zwyczaje.
- Trzymaj w samochodzie zabawki i książki, by dziecko nie nudziło się i nie koncentrowało na konieczności siedzenia w foteliku.

Dialog ze sobą

Nie mów sobie:

„Nieważne, czy zapina pasy, czy nie. Ja jeżdżę bezpiecznie”

Takie wymówki narażają dziecko na poważne niebezpieczeństwo. Jego sprzeciw nie może spowodować, że przestaniesz przestrzegać zasad bezpieczeństwa i zdrowego rozsądku.

Zamiast tego powiedz sobie:

„Moim celem jest zapewnienie dziecku bezpieczeństwa, nawet jeśli ono samo jeszcze tego nie rozumie”

Niezapominanie o celach, które ci przyświecają, pomoże ci motywować dziecko, by bezpieczeństwo stawiało zawsze na pierwszym miejscu.

Nie mów sobie:

„Dlaczego tak mi się sprzeciwia? Chyba jestem kiepskim rodzicem"

Winiąc siebie za to, co robi twoje dziecko, niczego nie rozwiążesz. Nie masz kontroli nad jego zachowaniem – tylko ono ją ma. Ty natomiast możesz panować nad swymi reakcjami.

Zamiast tego powiedz sobie:

„Ja też bym chyba nie chciała być tak przypięta do fotela. Moje dziecko musi się wtedy czuć bezsilne"

Zrozumienie sytuacji twojego dziecka pomoże ci poczuć to, co ono czuje – a dzięki temu zachęcisz je do współpracy.

Nie mów sobie:

„Moja matka ostrzegała mnie, że będę mieć krnąbrne dziecko"

Łączenie braku posłuszeństwa ze strony dziecka z przewidywaniami twoich rodziców jest irracjonalne i nieuzasadnione. Nie tylko uciekasz w ten sposób od odpowiedzialności za jego właściwe wychowanie, ale także przypinasz mu etykietkę, która może zmienić się w samospełniającą się przepowiednię.

Zamiast tego powiedz sobie:

„Moim celem jest nauczenie mego dziecka robienia rzeczy, na które nie ma ochoty"

Cierpliwie pomagając swej pociesze zrozumieć, dlaczego musi siedzieć w foteliku, uczysz ją, że współpracując zapewnia sobie bezpieczeństwo.

Dialog z dzieckiem

Nie karz. Nie mów:

„Jeśli nie wsiądziesz do samochodu, dostaniesz lanie"

Grożąc dziecku karą cielesną, pokazujesz jedynie, że jesteś większa i silniejsza, i że możesz je skrzywdzić, jeśli nie będzie posłuszne. Zamiast gróźb, zachęć je do współpracy okazując empatię. Uświadom mu, że rozumiesz jego uczucia, ale że mimo wszystko musi zrobić to, co zapewni mu bezpieczeństwo.

Zamiast tego zadawaj pytania. Powiedz:

„Dlaczego nie lubisz siedzieć w foteliku?"

Prosząc dziecko o podanie powodów, dla których nie lubi jazdy w foteliku, okazujesz aprobatę dla jego uczuć oraz uczysz je empatii. Może się na przykład okazać, że maluch lubi patrzeć przez okno, a fotelik jest umieszczony za nisko, albo że klamerka pasów bezpieczeństwa uwiera na zakrętach. Będziesz wówczas mogła zaradzić tym problemom, czyniąc jazdę wygodniejszą.

Nie nadużywaj autorytetu władzy. Nie mów:

„Jeśli nie usiądziesz w foteliku, przyjdzie pan policjant i cię aresztuje"

Nie nakłaniaj dziecka do posłuszeństwa grożąc policją. Ucz je, że policjanci są przyjaciółmi, a nie wrogami. Poza tym, jeśli twoja pociecha nie będzie siedzieć w foteliku, to *ciebie* policjant może aresztować.

Zamiast tego przypomnij o regule. Powiedz:

„Jazda w foteliku to jedna z reguł. Samochód może jechać tylko wtedy, gdy Reguła Fotelika jest spełniona"

Odwołując się do obiektywnych zasad, umieszczasz się wraz ze swym dzieckiem w tej samej drużynie. W ten sposób zmniejszasz szansę, że maluch będzie z tobą walczył, a jednocześnie dajesz mu ważną lekcję, że naszym życiem rządzą pewne zasady.

Nie złość się. Nie mów:

„Natychmiast siadaj w foteliku! Chyba nie chcesz, żebym się wściekła, prawda?"

Sygnalizując dziecku, że to ono ponosi winę za twój gniew, wzbudzasz w nim poczucie winy i szkodzisz jego zdolności odczuwania empatii. Może się również zdarzyć, że nabierze przez to niepożądanego i niezdrowego przekonania o władzy nad twoimi emocjami.

Zamiast tego stosuj pochwały. Powiedz:

„Dziękuję, że tak szybko usiadłeś w foteliku. Bardzo doceniam to, że chcesz ze mną współpracować"

Chwaląc zachowanie dziecka, uczysz je, że współpracując zwraca na siebie życzliwą uwagę – a to motywuje każdego.

Nie przekupuj. Nie mów:

„Jeśli usiądziesz w foteliku, dostaniesz lizaka"

Zachęcając dziecko przekupstwem do stosowania się do zasad, uczysz je jedynie, że za rzeczy, które zobowiązani jesteśmy robić, należy się nagroda.

Zamiast tego zaproponuj umowę. Powiedz:

„Jeśli usiądziesz w foteliku, puścimy muzykę, którą lubisz"

Ten przykład zastosowania Reguły Babuni pokazuje dziecku, że współpraca owocuje pozytywnymi konsekwencjami dla wszystkich zainteresowanych.

ROZDZIAŁ 4

„Proszę, wysiądź z samochodu"
„Nie! Nie chcę wysiąść z samochodu!"

Gdy twój pięciolatek nie chce wysiąść z samochodu, być może czas zastanowić się nad tym, w jak wiele miejsc wozisz go co dnia. Jeśli jest przeciążony, sprzeciw może być jego apelem, by zatrzymać tę karuzelę. Może także znaczyć, że boi się jakiegoś konkretnego miejsca lub czynności. A może po prostu chce zostać z tobą w domu? Twym pierwszym zadaniem jest zatem zapytanie się dziecka, co myśli. Jego odpowiedź może ci pomóc rozwiązać problem.

Przydatne wskazówki

- Bądź otwarta, pomocna i wyrozumiała, a twoje dziecko chętniej opowie ci o swoich obawach.
- Wprowadź reguły dotyczące zachowania w samochodzie, tak by dziecko rozumiało, czego powinno oczekiwać, gdy docieracie na miejsce.
- Zanim wyjdziecie z domu, przećwicz z dzieckiem poszczególne etapy jazdy samochodem, tak by jego zachowanie stało się automatyczne.

Dialog ze sobą

Nie mów sobie:

„On mnie nigdy nie słucha, bo to takie nieposłuszne dziecko. Nie wiem, co mam z nim zrobić"

Określając swe dziecko jako nieposłuszne, tracisz z oczu swój cel (nauczenie go współpracy), tworząc w zamian problem (przypinanie etykietek, a co za tym idzie – tworzenie samospełniającej się przepowiedni). Jeśli sama siebie przekonasz, że twoje dziecko z zasady nie chce cię słuchać, nauczenie go współpracy zaczniesz postrzegać jako niewykonalne zadanie.

Zamiast tego powiedz sobie:

„Wiem, że moje dziecko może zacząć ze mną współpracować, i w końcu zacznie to robić częściej"

Dobra opinia o tym, co twoje dziecko potrafi, sprawi, że również ono w to uwierzy. Bądź jego najlepszym adwokatem.

Nie mów sobie:

„Poddaję się. Jeśli nie chce wysiąść z samochodu, po prostu ją tam zostawię"

Uznając, że sytuacja jest beznadziejna, możesz zrobić coś niebezpiecznego lub nierozsądnego, na przykład zostawić dziecko samo w samochodzie. Nigdy nie dokonuj takiego wyboru!

Zamiast tego powiedz sobie:

„Być może czasem jest uparta, ale zawsze muszę mieć na względzie jej bezpieczeństwo"

Mówiąc sobie, że pokonasz frustrację, zwiększasz szansę na to, że faktycznie ci się to uda. Gdy dajesz dziecku przykład samokontroli i odpowiedzialnego zachowania, uczysz je podobnego zachowania.

Nie mów sobie:

„Nienawidzę zaczynać dnia od kłótni z moim dzieckiem o to, żeby wysiadło z samochodu"

Negatywne emocje szkodzą zdrowiu fizycznemu i psychicznemu. Badania wykazały, że negatywne uczucia są w stanie zatrzymać dopływ krwi do serca i zmniejszyć odporność na choroby.

Zamiast tego powiedz sobie:

„Nieposłuszeństwo mojego dziecka nie oznacza, że cały dzień będzie przez to zepsuty"

Zrozumienie, że pojedyncze wydarzenie nie musi wpłynąć na nastrój całego dnia, pomaga zachować optymizm i ułatwia rozwiązanie problemu. Wykazano, iż spojrzenie na sytuację z nadzieją ułatwia jasne, pozytywne myślenie.

Dialog z dzieckiem

Nie błagaj. Nie mów:

„Bardzo cię proszę, wysiądź z samochodu. Mamusia jest zmęczona i nie chce czekać"

Błaganiem nie nauczysz dziecka współpracy. Możesz wręcz zachęcić je do częstszej *odmowy*, jeśli zauważy, że w ten sposób ma nad tobą władzę.

Zamiast tego daj mu wybór. Powiedz:

„Czy chcesz sam wysiąść z samochodu, czy chcesz, żeby ci pomóc? Wybierz sam"

Dając dziecku wybór, pozwalasz mu ćwiczyć sztukę podejmowania decyzji oraz dajesz mu poczucie władzy i kontroli – a to dwa ważne czynniki motywujące.

Nie przekupuj. Nie mów:

„Jeśli wysiądziesz z samochodu, w sklepie kupię ci coś dobrego"

Przekupstwem uczysz dziecko, że posłuszeństwo można kupić.

Zamiast tego zaproponuj umowę. Powiedz:

„Gdy wysiądziesz z samochodu, będziemy mogli szybko zrobić zakupy, a wtedy wrócimy do domu, żebyś mógł się pobawić"

Pokazując dziecku długofalową korzyść wynikającą z jego decyzji, motywujesz je, by zniosło chwilową frustrację. Co więcej, w ten sposób twoja pociecha uczy się szanować metodę podejmowania decyzji, w której obie strony odnoszą korzyść.

Nie upokarzaj. Nie mów:

„Co z tobą? Dlaczego nigdy nie umiesz zrobić tego, o co proszę?

Jeśli dasz dziecku wyraźny sygnał, że jego chęć kontrolowania własnego życia jest wadą charakteru, może ono zacząć pesymistycznie postrzegać siebie oraz swój świat.

Zamiast tego stosuj zachęty. Powiedz:

„W sklepie jesteś takim świetnym pomocnikiem. Wysiądźmy z samochodu, to pomożesz mi w zakupach, dobrze?"

Dając dziecku bezpośrednią zachętę do wykonania twojej prośby, motywujesz je do współpracy. Co więcej, przekonując je, że wysoko cenisz jego poziom, zwiększasz jego ochotę, by stosować się do twoich poleceń.

Nie gróź. Nie mów:

„Jeśli natychmiast się nie ruszysz, pożałujesz"

Grożąc, zachęcasz jedynie dziecko do stosowania podobnych gróźb, by osiągnąć swoje cele. Nie uczysz go natomiast, że istnieją pokojowe sposoby ich zrealizowania.

Zamiast tego zachęcaj do reakcji zwrotnej. Powiedz:

„Pomóż mi zrozumieć, dlaczego nie chcesz wysiąść z samochodu. Jeśli masz z czymś kłopot, spróbuję mu jakoś zaradzić"

Prosząc dziecko o odzew, dajesz mu znać, że sytuacja nie jest nierozwiązywalnym kryzysem i że dbasz o to, co czuje – będą to dla niego dwa dobre powody, by ci zaufać. Być może boi się obcych albo jazdy w wózku w supermarkecie, lub też nie chce chodzić po gorącym asfalcie na parkingu.

ROZDZIAŁ 5

„Wsiądźmy do windy (lub wejdźmy na schody ruchome)" „Nie! Nie chcę wsiąść do windy!"

Wejście do zamkniętego pudełka, które jeździ w górę i w dół za przyciśnięciem guzika, może być dla trzylatka przerażającym doświadczeniem. Podobnie może być także w przypadku schodów ruchomych. Przecież nawet ty sama być może czasem się tego trochę obawiasz! Twój malec potrzebuje, byś okazała mu cierpliwość i dodała otuchy, a wtedy łatwiej przyzwyczai się do tych typowych przecież form transportu.

Przydatne wskazówki

- Zapoznaj dziecko z windami i schodami ruchomymi, odwiedzając je zanim będziesz z nich musiała skorzystać. Pozwól mu oglądać je z daleka, tak by zobaczyło, że ludzie wchodzą i wychodzą bezpiecznie. Jeśli sądzisz, że w ten sposób osłabisz strach malca, wyjaśnij mu, jak działają te urządzenia.
- Upewnij się, że istnieją jakieś alternatywy dla windy lub schodów ruchomych, tak byś nie znalazła się w sytuacji, gdy wybór masz jedynie między jednym a drugim. Dowiedz się zawsze, gdzie jest klatka schodowa, a jeśli to możliwe, zanim dziecko nie przyzwyczai się do mechanicznych form transportu, w centrum handlowym parkuj na poziomie, na którym znajduje się sklep, do którego chcesz się udać.

Dialog ze sobą

Nie mów sobie:

„Ludzie pomyślą, że jestem głupia, jeśli moje dziecko zrobi awanturę w windzie"

Jeśli uwierzysz, że zachowanie twojego dziecka przedstawia cię jako złego rodzica, staniesz się wobec niego bardziej nerwowa i niecierpliwa.

Zamiast tego powiedz sobie:

„Awantura w windzie nie ma tak naprawdę żadnego znaczenia"

Zachowanie dystansu wobec konfliktów na linii rodzic-dziecko oraz nie traktowanie ich w kategoriach osobistych to pierwsze kroki na drodze do ich pokojowego i konstruktywnego rozwiązania. Gdy zrozumiesz, że takie nieporozumienia są naturalne i nieuniknione, łatwiej będzie ci zrozumieć twoje dziecko.

Nie mów sobie:

„Nie mogę patrzeć, gdy jest jej tak przykro. Skoro tak tego nie lubi, nie będziemy korzystać z windy"

Ratując dziecko przed jego obawami, nie nauczysz go, jak sobie z nimi radzić.

Zamiast tego powiedz sobie:

„Nie ma niczego dziwnego w tym, że boi się pewnych rzeczy. Ja w jej wieku też się bałam, ale przeżyłam"

Zaakceptowanie zachowania dziecka jako normalnego na jego etapie rozwoju pomoże wam obojgu radzić sobie z waszymi obawami, a tobie ułatwi również cierpliwe znoszenie jego wybuchów.

Nie mów sobie:

„Jaki błąd popełniłam, że mam takie strachliwe dziecko?"

Jeśli będziesz się obarczać odpowiedzialnością za uczucia twojego dziecka, resztę życia możesz spędzić przytłoczona rosnącym poczuciem winy. To nie ty panujesz nad jego uczuciami lecz ono samo.

Zamiast tego powiedz sobie:

„Nie jestem winna jego obaw"

Zrozumienie, że twoje dziecko jest jedynym panem swoich własnych uczuć, pomoże ci odseparować się od jego obaw i utwierdzić w przekonaniu, że potrafisz mu pomóc.

Dialog z dzieckiem

Nie wywołuj uczucia odosobnienia. Nie mów:

„Daj spokój, weź się w garść! Musisz sobie radzić ze swoimi obawami"

Hasło „weź się w garść" jest dla dziecka sygnałem, że musi sobie radzić ze swymi obawami samo. W ten sposób nie mówisz mu natomiast, jak to zrobić.

Zamiast tego zaproponuj rozwiązanie. Powiedz:

„Rozumiem to, że nie chcesz jechać windą. Tym razem pójdziemy schodami, a następnym razem może spróbujemy jeszcze raz"

Okazując empatię, sprawisz, że dziecko będzie się przy tobie czuło bezpiecznie, a to z kolei doda mu pewności siebie przy następnych wizytach. Z kolei proponując rozwiązanie, uczysz je konstruktywnych sposobów radzenia sobie za strachem.

Nie upokarzaj. Nie mów:

„Przestań być taką beksą!"

Nazwanie dziecka beksą sprawia, że tworzy ono negatywny obraz własnej osoby, wierząc, iż posiada wadę charakteru – może to się okazać samospełniającą się przepowiednią.

Zamiast tego zaprezentuj pozytywne podejście. Powiedz:

„Wiem, że poprzednio bałeś się windy, ale teraz jesteś dużo bardziej dzielny i silny. Myślę, że tym razem sobie poradzisz, jeśli tylko chcesz"

Utwierdzanie wiary twego dziecka w jego własną siłę sprawi, że poczuje twoje wsparcie, a to zachęci je do pokonania własnych obaw.

Nie gróź. Nie mów:

„Jeśli znów zaczniesz beczeć w windzie, dostaniesz lanie. Wtedy wreszcie będziesz miała prawdziwy powód do płaczu"

Groźbami przyczyniasz się jedynie do powstawania kolejnych lęków. Pokazujesz również, że jeśli twoje dziecko nie będzie robiło tego, czego od niego oczekujesz, zamiast mu pomóc, jesteś gotowa je skrzywdzić.

Zamiast tego uczyń doświadczenie przyjemnym. Powiedz:

„W windzie wezmę cię na ręce, żebyś się czuła bezpieczna. Wiesz, ja lubię to uczucie w brzuszku, kiedy winda jeździ w górę i w dół. To takie trochę ekscytujące!"

Pomagając dziecku zamienić strach w podekscytowanie, pomożesz mu zaakceptować, a nawet polubić uczucia, których wcześniej się bało.

Nie przekupuj. Nie mów:

„Kotku, jeśli wejdziesz do windy i będziesz cichutko, kupię ci cukierki"

Pozyskiwanie posłuszeństwa dziecka przekupstwem nie pomoże mu pokonać strachu. Nauczy je jedynie, że brak posłuszeństwa się opłaca.

Zamiast tego przedstaw możliwe opcje. Powiedz:

„Jeśli nie chcesz jeszcze jechać windą, wejście schodami będzie dla nas dobrą gimnastyką. A windą wjedziemy może następnym razem i zobaczymy, jak szybko będziemy na górze"

Pokazując dziecku inne możliwości, unikamy sytuacji, w której czuje się osaczone. Uczymy je także rozważania wad i zalet każdej z opcji, co jest dobrym ćwiczeniem sztuki podejmowania decyzji.

ROZDZIAŁ 6

„Czas wsiąść do samolotu" „Nie! Nie chcę wsiąść do samolotu!"

Niezależnie od tego, czy latasz często, czy też właśnie masz wznieść się w powietrze po raz pierwszy, podróż samolotem budzi obecnie więcej obaw niż kiedykolwiek wcześniej. Być może twoje pięcioletnie dziecko słyszało, jak mówisz o niebezpieczeństwie takich podróży, a może widziało telewizyjne raporty o katastrofach lub porwaniach. By odnieść się do obaw twojej pociechy, podkreśl korzyści płynące z latania samolotem oraz zapewnij ją, że jej bezpieczeństwo stawiasz zawsze na pierwszym miejscu.

Przydatne wskazówki

- Zanim kupisz bilety lotnicze, zastanów się, czy twoje dziecko zniesie zmiany rozkładu lotów, tumult na lotnisku, konieczność siedzenia przez kilka godzin w fotelu, oraz czy poradzi sobie z obawą przed lataniem.
- Jeśli zajdzie taka konieczność, rozważ inne formy transportu, biorąc pod uwagę czas potrzebny na dotarcie do celu, a także koszty i zalety poszczególnych opcji. Pamiętaj również o konieczności robienia przystanków na załatwienie przez dziecko potrzeb fizjologicznych oraz o innych ewentualnych kryteriach.
- Postaw się w sytuacji dziecka, zastanawiając się, jak czułabyś się będąc małym człowiekiem, który nie ma jeszcze doświadczenia w przeżywaniu spektakularnych wydarzeń, takich jak lot samolotem.
- Uważaj na to, co mówisz. Nawet machinalna uwaga o obawie przed lataniem może być zaraźliwa. Zachowaj spokój, pamiętając, że szansa poniesienia śmierci w katastrofie lotniczej wynosi jeden do dziewięciu milionów.

Dialog ze sobą

Nie mów sobie:

„Krewni będą na mnie wściekli, jeśli nie przyjedziemy"

Obawiając się tego, co pomyślą o tobie inni, skupiasz swą uwagę na czymś, nad czym nie panujesz, a tym samym zwiększasz swój niepokój związany z brakiem współpracy ze strony dziecka. Jedno i drugie zmniejsza szansę na spokojne przekonanie go, by wsiadło do samolotu.

Zamiast tego powiedz sobie:

„Muszę się skupić na tym, by pomóc dziecku poradzić sobie z wejściem do samolotu, nie na tym, co pomyślą krewni"

Przenosząc uwagę z krewnych na dziecko, zapobiegniesz wyolbrzymieniu problemu i unikniesz niepotrzebnego stresu.

Nie mów sobie:

„Moje dziecko nie jest normalne, skoro nie chce latać samolotem"

Decydowanie przez ciebie o tym, czego powinno, a czego nie powinno się bać twoje dziecko, nie jest racjonalne. Jego uczucia i obawy nie są czymś, nad czym możesz panować. Panujesz wyłącznie nad swoimi – i niczyimi innymi.

Zamiast tego powiedz sobie:

„Strach mojego dziecka przed lataniem pozwala mi dowiedzieć się o nim czegoś nowego"

Obawa przed nieznanym, szczególnie przed czymś, nad czym nie ma się kontroli, nie jest niczym dziwnym i zdarza się ludziom w każdym wieku. Choć obecnie twoje dziecko jest nieufnym przedszkolakiem, może się nauczyć postrzegać swój świat jako przygodę, nie jako zagrożenie.

Nie mów sobie:

„Moje biedne dziecko odziedziczyło po mnie mój głupi strach przed lataniem"

Obwinianie samej siebie o obawy dziecka nie pomoże ani tobie, ani jemu w ich przezwyciężeniu.

Zamiast tego powiedz sobie:

„Radząc sobie z moim własnym strachem przed lataniem, nauczę się, jak pomóc mojemu dziecku poradzić sobie z tym samym problemem"

Poznanie swych własnych słabości pomoże ci lepiej zrozumieć uczucia twojego dziecka.

Nie mów sobie:

„Jeśli teraz nie polecimy, nigdy nie nauczy się latać samolotem"

Żądanie od dziecka posłuszeństwa z obawy, że inaczej nigdy nie poradzi sobie ze swoim strachem, nie jest racjonalne.

Zamiast tego powiedz sobie:

„Moim celem jest pomóc dziecku zrozumieć i przezwyciężyć strach przed lataniem"

Gdy zrozumiesz swą rolę jako rodzica-nauczyciela, zarówno ty, jak i twoje dziecko będziecie umieli z każdego wyzwania wyciągnąć jakąś lekcję. W tym konkretnym przypadku, musisz swego malucha przygotować do przyszłych lotów samolotem.

Dialog z dzieckiem

Nie upokarzaj. Nie mów:

„Co z tobą? Myślałam, że będziesz szczęśliwy, mogąc latać samolotem. Ale z ciebie trudne dziecko!"

W ten sposób dajesz dziecku znać, że najwyraźniej jest z nim coś nie tak, ponieważ wyraziło swoje uczucia. Może przez to zacząć pesymistycznie postrzegać siebie i swój świat. Na dodatek zniechęcisz je do informowania cię, gdy jest zdenerwowane lub zmartwione.

Zamiast tego zaproponuj zabawę. Powiedz:

„Zabawmy się w lot samolotem. Ty będziesz pasażerem, a ja stewardessą, czyli tą osobą, która przynosi nam napoje i troszczy się o nasze bezpieczeństwo"

Odgrywając w domu to, co dzieje się w samolocie, nauczysz dziecko, czego powinno się spodziewać, zmniejszając w ten sposób jego strach przed lataniem.

Nie stawiaj ultimatum. Nie mów:

„Posłuchaj mnie, kolego! Wsiadamy do samolotu i nie ma dyskusji!"

Zajmowanie stanowiska nie znoszącego sprzeciwu prowadzi do dalszego zaostrzenia sytuacji, zmuszając dziecko od głębszego okopania się w obronie swej pozycji.

Zamiast tego zachęcaj do odzewu. Powiedz:

„Opowiedz mi o tym, co czujesz w brzuszku, gdy myślisz o wejściu do tego dużego samolotu"

Jeśli dziecko opisze „motylki" albo inne wrażenie towarzyszące zwykle strachowi, będzie to oznaczać, że jego opór napędzany jest przez niepokój. Pomóż mu zrozumieć i nazwać swoje uczucia – to dla niego pierwszy krok ku rozpoznaniu i przezwyciężeniu obaw.

Nie wzbudzaj poczucia winy. Nie mów:

„Poczekaj no tylko aż babcia dowie się, że nie chciałeś polecieć do niej z wizytą. Będzie na ciebie zła i zrobi ci się przykro"

Grożąc dziecku utratą akceptacji dziadków nie nauczysz go radzić sobie ze strachem; zamiast tego wzmocnisz jego poczucie wstydu i nadszarpniesz jego emocjonalną więź z nimi.

Zamiast tego zaprezentuj pozytywne podejście. Powiedz:

„Lot będzie wspaniałą przygodą! Odwiedzimy babcię w jej nowym domu, będziemy się bawić na plaży i odkryjemy, co babcia trzyma w tajemnej szufladzie!"

Rozmawiając z dzieckiem o przyjemnych rzeczach, jakie je czekają, pomożesz mu radzić sobie ze swym strachem. Dzięki temu może zacząć postrzegać latanie po prostu jako sposób osiągnięcia celu.

Nie klasyfikuj. Nie mów:

„To nic, kochanie. Mamusia też należy do tych, którzy boją się latać"

W ten sposób dajesz dziecku sygnał, że nigdy nie przestanie się bać, ponieważ strach przed lataniem jest częścią jego natury, podobnie jak jest częścią twojej.

Zamiast tego okaż empatię. Powiedz:

„Rozumiem, że możesz się bać wsiąść do samolotu. Ja też się czasem boję, ale mówię sobie wtedy, że jestem dzielna i że sobie poradzę"

Mówiąc dziecku o swoich obawach oraz o tym, jak rozmawiasz ze sobą, by je przezwyciężyć, uczysz je ważnej umiejętności i ułatwiasz mu opowiadanie ci o swoich uczuciach. Co więcej, dzięki temu dowiaduje się, że jego uczucia są naturalne i że można sobie z nimi poradzić.

Nie przekupuj. Nie mów:

„Jeśli wsiądziesz z nami do samolotu, kupimy ci ten rower, o którym marzysz"

Przekonywanie dzieci do współpracy poprzez przekupstwo prowadzi do tego, że w zamian za posłuszeństwo oczekują namacalnej nagrody. Twoim celem jest zachęcenie swej pociechy do odczuwania wewnętrznej motywacji, nie zaś materialne wynagradzanie za robienie tego, o co ją prosisz.

Zamiast tego potwierdź jego znaczenie. Powiedz:

„Wspaniale pomagasz przy bobasie. Czy możesz pilnować torby z pieluchami, żeby na pewno dotarła z nami do samolotu?"

Czyniąc ze swego dziecka pomocnika, zajmujesz jego myśli czymś pozytywnym i sprawiasz, że rośnie jego poczucie panowania nad sytuacją. Dajesz mu także okazję do działania w zespole. Będzie chciało z tobą współpracować, ponieważ poczuje, że jest potrzebne.

ROZDZIAŁ 7

„Trzymaj mnie w sklepie za rękę”
„Nie! Nie chcę cię trzymać za rękę!”

Niezwykle ruchliwe dwulatki postrzegają sklepy i centra handlowe jako niewyczerpane źródło fascynujących możliwości, dlatego też dłoń rodzica jest dla nich wrogiem wolności. To normalne, że nieskrępowane chce biegać, gdzie tylko może – jest przecież tyle do zrobienia i zobaczenia. By nie stłamsić brutalnie jego ciekawości, wymyśl pomysłowe zasady dotyczące nieoddalania się od ciebie.

Przydatne wskazówki

- Unikaj robienia zakupów w porze obiadu i drzemki oraz bezpośrednio przed nimi.
- Niech twoje mniejsze dzieci zostaną w wózku, byś mogła skupić się nad uczeniem starszych, by się od ciebie nie oddalały.

Dialog ze sobą

Nie mów sobie:

„Nie wiem, co robić, gdy moje dziecko odmawia trzymania mnie za rękę. Nigdy nie jestem pewna, czy postępuję właściwie”

Nierealistycznie jest oczekiwać, że każdy problem związany z rodzicielstwem ma jedno „właściwe” rozwiązanie. Rozwiązanie jest odpowiednie, gdy jest zgodne z twoim (i twojego dziecka) punktem widzenia i osobowością.

Zamiast tego powiedz sobie:

„Dam sobie radę. Moim celem jest nauczenie dziecka, by trzymało mnie za rękę, gdy jesteśmy w sklepie”

Doceń ciekawość dziecka, ale ani trochę nie ustępuj w kwestii jego bezpieczeństwa. Jeśli nadal będzie odmawiać trzymania cię za rękę, być może na jakiś czas będziesz musiała robić zakupy bez niego.

Nie mów sobie:

„Boję się, że się zgubi, ale nie chcę, by była na mnie zła"

Musisz być wychowawcą swego dziecka, nie jego przyjacielem. Nie zawsze będzie mu się podobać, co mówisz i robisz, i odwrotnie – nie zawsze ty będziesz zadowolona z jego zachowania. Skoncentruj się na zapewnieniu twemu malcowi bezpieczeństwa, a nie na robieniu mu przyjemności.

Zamiast tego powiedz sobie:

„Zasady bezpieczeństwa są ważne i należy ich przestrzegać"

Dzięki utwierdzeniu się w swych przekonaniach odnośnie bezpieczeństwa łatwiej będzie ci zachować stanowczą postawę, gdy twe dziecko będzie próbowało kwestionować zasady.

Nie mów sobie:

„Muszę mu okazać złość, inaczej nie zrozumie, jak ważne jest trzymanie mnie za rękę"

Gniew jako metoda motywowania dziecka do współpracy zmniejsza jego zdolność odczuwania empatii oraz uczy go negatywnego modelu zachowania.

Zamiast tego powiedz sobie:

„Wściekanie się na niego tylko pogorszyłoby sytuację"

Decyzja by wpaść w złość uniemożliwia ci przemyślenie problemu i znalezienie sposobu rozwiązania go.

Dialog z dzieckiem

Nie groź. Nie mów:

„Natychmiast wracaj i bierz mnie za rękę, albo cię spiorę!"

Grożąc karą fizyczną, zwiększasz jedynie u swego dziecka chęć, by zostać od ciebie jak najdalej. Być może ostatecznie posłucha ciebie z obawy, byś nie zrobiła mu krzywdy, ale na pewno nie będzie przekonane, że tak jest bezpiecznie.

Zamiast tego przypomnij o regule. Powiedz:

„Pamiętaj, że zgodnie z regułą musimy się trzymać za ręce od momentu, gdy wysiadamy z samochodu, do chwili, gdy wsiądziemy z powrotem. Musimy się stosować do tej reguły dla naszego bezpieczeństwa"

Gdy przypominasz dziecku o regule, to ona, nie ty, staje się w jego oczach „winowajcą". Skupia także jego uwagę na zadaniach, których musi się nauczyć: dbaniu o bezpieczeństwo i wykonywaniu poleceń.

Nie przekupuj. Nie mów:

„Jeśli będziesz mnie podczas zakupów trzymać za rękę, kupię ci nową zabawkę"

Nie dawaj prezentów za wykonywanie twoich poleceń. Chcesz, by dziecko trzymało cię za rękę dla bezpieczeństwa, nie dlatego, by otrzymać podarek. Przekupstwo odwraca jego uwagę od zasadniczych celów: nauki, jak dbać o bezpieczeństwo i jak współpracować.

Zamiast tego ćwicz. Zanim wyjdziecie z domu, powiedz:

„Dziś po południu idziemy na zakupy, więc przećwiczmy teraz, jak będziesz mnie trzymać za rękę. Wtedy będziemy mogli wzajemnie dbać o swoje bezpieczeństwo"

Ćwiczenie reguły przekształca ją w zestaw zachowań warunkowych – twoje dziecko będzie potem automatycznie robić to, czego od niego oczekujesz.

Nie karz. Nie mów:

„Jeśli zaraz nie weźmiesz mnie na rękę, nie pozwolę ci w domu oglądać telewizji"

Grożąc dziecku odebraniem mu jego przywilejów nie nauczysz go współpracy – nauczysz je natomiast, jak grozić innym, by dostać, czego chce.

Zamiast tego okaż zrozumienie. Powiedz:

„Wiem, że trudno ci trzymać mnie za rękę, kiedy dookoła podoba

ci się tyle różnych rzeczy, ale reguła wymaga, żebyś była blisko mnie. To ważne, bo dzięki temu jesteśmy bezpieczne"

Wykształcaj w swym dziecku uczucie empatii, mówiąc mu, że rozumiesz jego pragnienie zgłębiania świata, ale przypomnij mu, że musi przestrzegać reguły.

Nie oceniaj. Nie mów:

„Co z tobą? Nie wiesz, że uciekając ode mnie narażasz się na niebezpieczeństwo? To było głupie!"

Oceniając i upokarzając swoje dziecko, mówisz mu, że skoro chce podążać za swą naturalną ciekawością, jest z nim coś nie tak. W ten sposób na pewno nie zachęcisz go do współpracy.

Zamiast tego poszukaj innych opcji. Powiedz:

„Rozumiem, że trzymanie mnie za rękę ci nie odpowiada. Co ty na to, żebyś trzymała mnie za spódnicę (lub pasek, torebkę, nogawkę spodni itp.)? Dzięki temu będę wiedziała, gdzie jesteś, i żadna z nas się nie zgubi"

Znalazłszy dogodną dla was obojga alternatywę, ręce będziesz miała wolne do innych czynności. To rozwiązanie korzystne dla obojga.

Nie rozkazuj. Nie mów:

„Nie oddalaj się! Niczego nie dotykaj!"

Takie upomnienia mówią twojemu dziecku jedynie czego *nie powinno* robić; nie przypominają mu natomiast, co (oraz dlaczego) robić powinno. Są także po prostu nieodpowiednie dla malucha, który wyrywa się, by odkrywać świat.

Zamiast tego chwal. Powiedz:

„Dziękuję, że trzymasz mnie za rękę. Bardzo mi dobrze, gdy wiem, że jesteśmy razem i nic nam nie grozi"

Chwaląc dziecko za współpracę, zachęcasz je do kontynuacji takiego zachowania. Dajesz mu także znać, że przestrzegając zasad, zwraca na siebie twą życzliwa uwagę.

ROZDZIAŁ 8

„Czas iść do żłobka”
„Nie! Nie chcę iść do żłobka!”

Twoje poczucie winy może sięgnąć zenitu, gdy w reakcji na twoje stwierdzenie, że czas do żłobka, twój trzylatek zawoła: „Chcę zostać w domu *z tobą*!”. Pierwszym, co powinnaś zrobić, jest sprawdzenie sytuacji w żłobku twojego dziecka. Przekonaj się, czy jakieś osoby, sytuacje lub procedury nie sprawiają, że twoja pociecha boi się tam iść. Upewniwszy się, że pod tym względem wszystko jest w porządku, możesz się skupić na problemach z rozłąką, które u małych dzieci zdarzają się bardzo często.

Przydatne wskazówki

- Zanim twoje dziecko zacznie regularnie chodzić do żłobka, pozwól mu się przyzwyczaić do bycia z dala od ciebie i naucz je, że zawsze do niego wrócisz. Możesz na przykład kilka razy w tygodniu wynajmować na godzinę lub dwie wykwalifikowaną opiekunkę, by dziecko mogło się oswoić z tym uczuciem.
- Unikaj narzekania na swą pracę oraz na to, że nie lubisz oddawać dziecka do żłobka. Twoje negatywne nastawienie może być zaraźliwe.
- Niech pożegnania będą słodkie, ale krótkie, tak by dziecko łatwiej i szybciej przyzwyczaiło się do swego nowego otoczenia.

Dialog ze sobą

Nie mów sobie:

„Powinnam być ze swoim dzieckiem. Chciałabym nie musieć pracować, by mogło być ze mną w domu”

Czując się winna tego, że musisz (lub chcesz) pracować, sugerujesz sama sobie, że oddając dziecko do żłobka zrobiłaś coś nie tak. Przypomnij sobie wówczas, że robisz to, co najlepsze zarówno dla ciebie, jak i dla twojej pociechy. W żłobku ma okazję spędzać czas z innymi dziećmi, natomiast ty pracując zapewniasz utrzymanie rodzinie.

Zamiast tego powiedz sobie:

„Robię to, co jest najlepsze dla mojej rodziny"

Upewnij się, że w żłobku panuje bezpieczna atmosfera sprzyjająca rozwojowi dziecka oraz że opiekuni są czułymi, odpowiedzialnymi ludźmi, którzy wyznają filozofię wychowawczą odpowiadającą twojej własnej.

Nie mów sobie:

„Moje dziecko wprawia mnie w strasznie zły nastrój, kiedy nie chce iść do żłobka"

Użalając się nad sobą, ryzykujesz wyłącznie negatywne skutki – łącznie z poczuciem winy i depresją. To ty sama, nie twoje dziecko, sprawujesz kontrolę nad swymi uczuciami.

Zamiast tego powiedz sobie:

„Opierając się pójściu do żłobka, moje dziecko sygnalizuje mi, że ma teraz problemy z rozłąką"

Kłopoty z rozłąką to typowe zjawisko u małych dzieci. To do ciebie należy nauczenie swego malca, jak radzić sobie pod twoją nieobecność oraz jak pracować i bawić się z innymi dziećmi.

Nie mów sobie:

„Gdyby tylko mój były mnie nie zostawił, nie musiałabym iść do pracy i moje dziecko mogłoby zostać ze mną w domu"

Obwinianie swego byłego małżonka o to, że musisz pracować, zwiększy jedynie napięcie między wami, a być może również przyczyni się do osłabienia więzi uczuciowej między twoim dzieckiem i jego ojcem.

Zamiast tego powiedz sobie:

„To, że moje dziecko musi chodzić do żłobka, nie oznacza, że ja lub mój były jesteśmy złymi rodzicami"

Dzięki uniknięciu gry w obwinianie, ty, twoje dziecko i jego drugi rodzic nie zboczycie z drogi współpracy dla dobra wszystkich zainteresowanych.

Dialog z dzieckiem

Nie groź. Nie mów:

„Przestań się drzeć i stój spokojnie, żebym cię mogła ubrać, albo dam ci prawdziwy powód do płaczu"

Groźby jedynie zachęcają dziecko do dalszego oporu, by sprawdzić, czy je wykonasz. Dodatkowo, w ten sposób uczy się ono, że osoby większe i silniejsze mogą stosować przemoc, by osiągnąć swoje cele.

Zamiast tego chwal posłuszeństwo. Powiedz:

„Dziękuję, że pozwalasz mi założyć ci skarpetki. Naprawdę mi pomagasz. Ani się obejrzymy, jak będziemy gotowi jechać do żłobka!"

Chwalenie swego dziecka może przychodzić ci ciężko, skoro opiera ci się na każdym kroku – jednak rób, co możesz, by zachęcać do *jakichkolwiek* przejawów posłuszeństwa. Mów na przykład: „Tak grzecznie dziś jesz śniadanie! To znaczy, że będziesz dziś miał dużo energii!" albo: „Dziękuję, że powiedziałeś mi, co ci się podoba w przedszkolu. Gdy mówisz o tym, co lubisz, wiem, że jest ci dobrze!".

Nie wyzywaj. Nie mów:

„Jaki ty jesteś nieznośny! Zamknij się i wsiadaj do tego samochodu!"

Zastraszanie dziecka wyzwiskami jest bezcelowe. Co więcej, może się okazać samospełniającą się przepowiednią, gdy dziecko nauczy się, jak istotnie zasługiwać na nadaną mu etykietkę.

Zamiast tego zaoferuj wsparcie. Powiedz:

„Porozmawiam z panią Anią w żłobku, by upewnić się, że wszystko jest w porządku"

Gdy twoje dziecko nie chce iść do żłobka, zawsze rozsądnie jest dowiedzieć się możliwie jak najwięcej o tym, co się tam dzieje. Zapytaj się wychowawczyni, jak dziecko zachowuje się po twoim odejściu, z kim się bawi oraz o to, czy może ci coś poradzić odnośnie sposobów ulżenia dyskomfortowi malca.

Nie przypinaj etykietek. Nie mów:

„Kochanie, wiem, że jesteś nieśmiała i nie lubisz przebywać w towarzystwie innych dzieci, ale mamusia musi iść do pracy"

Określenie dziecka jako nieśmiałego może uczynić z tej etykietki integralny element jego tożsamości. W ten sposób dajesz mu znać, że nie może się bawić z innymi dziećmi, ponieważ nie pasuje to do jego osobowości.

Zamiast tego zaoferuj wsparcie emocjonalne. Powiedz:

„Może chcesz dziś zabrać do żłobka swojego misia? Gdy jest blisko ciebie, zawsze czujesz się lepiej"

Czasem, kiedy nie mają ochoty gdzieś iść, dzieci lubią zabierać ze sobą maskotkę. Może ona dodać małemu otuchy, kiedy w pobliżu nie ma rodzica.

Nie przekupuj. Nie mów:

„Jeśli przestaniesz krzyczeć i wsiądziesz do samochodu, po drodze kupię ci pączka. Przecież wiem, jak je lubisz"

Przekupstwem uczy się dzieci, że za każdym razem, gdy narzekają, należy się im nagroda. Co więcej, używając w tym celu słodyczy przyzwyczaisz swą pociechę łączyć jedzenie z miłością i opieką, co może skutkować zaburzeniami żywieniowymi.

Zamiast tego zastosuj Regułę Babuni. Powiedz:

„Jeśli grzecznie pójdziesz ze mną do żłobka, po południu pójdziemy do parku"

Reguła Babuni uczy dziecko, że może robić to, co lubi, kiedy już wykona twoją prośbę.

Nie obwiniaj. Nie mów:

„Wiesz, że muszę pracować, żebym mogła kupować ci ubranka i zabawki. Przez ciebie znowu się spóźnię!"

Wywołując w dziecku poczucie winy, nie sprawisz, że będzie ono chciało współpracować, ani nie nauczysz go, jak radzić sobie z rozłąką. Dasz mu natomiast sygnał, że to ono jest odpowiedzialne za twoje wybory, takie jak na przykład podjęcie pracy.

Zamiast tego skup uwagę dziecka na czymś innym. Powiedz:

„Ja pójdę do swojej pracy, ty do swojej, i oboje wrócimy w domu na obiad"

Podkreślając przejściowy charakter rozłąki oraz koncentrując uwagę dziecka na tym, że później znów będzie z tobą, pomagasz mu poradzić sobie z koniecznością pójścia do przedszkola.

Nie poddawaj się. Nie mów:

„Cóż, skoro nie chcesz iść do żłobka, zostanę z tobą w domu"

Możesz czuć pokusę, by poświęcić swoje obowiązki i zostać w domu z dzieckiem, ale twoje poddanie się nauczy je, że oporem jest w stanie zdobyć to, czego chce.

Zamiast tego ucz dziecko cierpliwości. Powiedz:

„Dziś jest jeden z tych dni, kiedy ja muszę iść do pracy, a ty do żłobka. Policzmy, ile dni zostało nam do czasu, gdy oboje możemy zostać w domu"

Skupiając uwagę dziecka na przyjemnym wydarzeniu w przyszłości, uczysz je wyrabiać ważną cechę cierpliwego oczekiwania na rekompensatę. Warto skorzystać z tej okazji, by pomóc mu ćwiczyć rozstanie z tobą.

ROZDZIAŁ 9

„Pora iść na lekcję" „Nie! Nie chcę iść na lekcję!"

Gdy czytasz o wybitnie utalentowanych dzieciach, możesz być zawiedziona, że twój przedszkolak wymiguje się od lekcji np. pianina. Na początek powinnaś wziąć pod uwagę jego osobowość, plan zajęć oraz to, czy opór przed braniem udziału w zajęciach jest sporadyczny, czy stały. Czy twoja pociecha jest niechętna próbowaniu nowych rzeczy? Czy nie potrafi skupić się i siedzieć spokojnie przez kilka minut? Czy brak jej konsekwencji w działaniu? Czy nie brak jej wolnego czasu na zabawę? Czy nie mówi ci, że nie lubi swego nauczyciela? Czy opiera się przed pójściem dopiero pierwszy raz? Zrozumiawszy swe dziecko i okoliczności jego sprzeciwu, łatwiej będzie ci poradzić sobie z jego niechęcią wobec tej możliwości nauki.

Przydatne wskazówki

- Przed zapisaniem swej pociechy na zajęcia, porozmawiaj z nauczycielami. Dowiedz się, czy ich filozofia pedagogiczna i wychowawcza będzie odpowiadać tobie i twojemu dziecku. Najskuteczniejszymi nauczycielami są ci, którzy podchodzą do dzieci z empatią, znajdują z nimi wspólny język i traktują je z szacunkiem.
- Upewnij się, że twoje dziecko rozumie reguły związane ze słuchaniem i wykonywaniem poleceń, ćwiczeniem i trzymaniem się planu.
- Upewnij się, że twoje dziecko potrafi wykonać lub nauczyć się wszystkich rzeczy, wymaganych od niego podczas zajęć.

Dialog ze sobą

Nie mów sobie:

„Dzieci powinny się słuchać, bo rodzice wiedzą najlepiej"

Takie autorytarne stanowisko zapewni ci niekończącą się próbę sił między tobą i twoim niepokornym przedszkolakiem. Pierwszą rzeczą, jaką musisz zrozumieć, by móc pokierować zachowaniem swego dziecka jest fakt, że nie jest w stanie tego zachowania kontrolować – panujesz wyłącznie nad swoimi reakcjami na nie.

Zamiast tego powiedz sobie:

„Potrafię sobie poradzić z odrobiną oporu. To nic wielkiego"

Reagując pozytywnie, z przekonaniem o swej zdolności do poradzenia sobie z sytuacją, wysyłasz dziecku sygnał, że doceniasz fakt, że wypowiada swe opinie, nawet jeśli różnią się one od twoich. Nie zapominaj, że długofalowym celem rodzicielstwa jest wychowanie niezależnej, samowystarczalnej i dostosowanej do życia istoty ludzkiej.

Nie mów sobie:

„Każde dziecko powinno chodzić na lekcje muzyki, by daleko zajść w życiu"

Nie dawaj wiary mitom, że do sukcesu prowadzi tylko jedna droga.

Zamiast tego powiedz sobie:

„Tak naprawdę nie musi już teraz zaczynać lekcji. Możemy z tym jeszcze trochę zaczekać"

Rzut oka na plan zajęć dziecka może sprawić, że uznasz, iż jest obecnie zbyt zajęte, by kontynuować dodatkowe zajęcia. To, że obecnie nie ma na nie ochoty, nie oznacza bynajmniej, że w przyszłości nie będzie się do nich wręcz rwać.

Nie mów sobie:

„Z moim dzieckiem musi być coś nie tak. Każdy lubi lekcje gimnastyki. Ja lubiłam"

Ocenianie dziecka wedle twoich własnych preferencji nie pomoże ci w zrozumieniu jego niechęci. Może natomiast sprawić, że będziesz zmuszać je do kontynuowania zajęć ze względu na ciebie, nie na jego dobro.

Zamiast tego powiedz sobie:

„To, że ja lubiłam gimnastykę, nie oznacza, że i moje dziecko musi ją lubić"

Przypomnij sobie, kto pierwotnie miał ochotę na te lekcje – ty czy dziecko. W sytuacji idealnej chcieliście tego oboje. Miej na uwadze, że twoja pociecha może nie mieć predyspozycji do robienia czegoś, do czego ją nakłaniasz. Może też zmienić zdanie, kiedy zacznie zajęcia.

Dialog z dzieckiem

Nie gróź. Nie mów:

„Mam po dziurki w nosie twojego zachowania. Rób, co każę, albo dostaniesz lanie!"

Mówiąc dziecku, że skrzywdzisz je, jeśli będzie się opierać, dajesz mu dwie złe lekcje: że przemoc jest dopuszczalnym środkiem rozwiązywania problemów oraz że w złości wolno krzywdzić innych ludzi.

Zamiast tego zadawaj pytania. Powiedz:

„Co ci się nie podoba w tych lekcjach? Czy mogę coś zrobić, żebyś bardziej je lubił?"

Gdy spokojnie zadajesz tego rodzaju pytania, zdobywasz większą wiedzę o troskach swego dziecka, a przy tym pokazujesz mu, że interesują cię jego myśli i uczucia.

Nie wzbudzaj poczucia winy. Nie mów:

„Co z tobą? Przecież błagałeś mnie, żeby chodzić na te lekcje!"

Pytając dziecka, co z nim jest nie tak, sugerujesz, że faktycznie coś *jest* nie tak tylko dlatego, że zmieniło zdanie.

Zamiast tego pokaż sytuację w innym świetle. Powiedz:

„Pomyśl o tym, jak dobrze się będziesz bawić, gdy pójdziesz na lekcję!"

Zmieniając punkt widzenia dziecka, być może pomożesz mu przemóc niechęć. Zmotywuj je, pokazując, jak wartościowym i przyjemnym przeżyciem będzie lekcja.

Nie przekupuj. Nie mów:

„Jeśli zaraz się ubierzesz i wsiądziesz do samochodu zanim policzę do dziesięciu, w drodze powrotnej kupię ci słodycze"

Obiecując dziecku materialną nagrodę za to, że zrobi, o co je prosisz, uczysz je wykonywać polecenia jedynie wówczas, gdy może otrzymać coś w zamian. Twoim celem jest nauczenie go, że można się dobrze czuć robiąc coś bez dodatkowego powodu.

Zamiast tego pokaż, jak docenić własne postępy. Powiedz:

„Umieśćmy na lodówce tabelkę, w której będziemy zaznaczać gwiazdkami, ile lekcji już odbyłeś"

Zachęcając dziecko do śledzenia czynionych postępów, promujesz automotywację.

Nie zawstydzaj. Nie mów:

***„Bardzo mnie rozczarowujesz.
Nigdy nie kończysz tego, co zaczynasz"***

Wzbudzanie w twoim dziecku wstydu uczy go, że twoja miłość nie jest bezwarunkowa – że kochasz je jedynie wówczas, gdy robi to, czego od niego oczekujesz.

Zamiast tego daj wybór. Powiedz:

***„Umówmy się, że pójdziesz jeszcze na pięć lekcji.
Potem zdecydujesz, czy wciąż chcesz chodzić na zajęcia"***

Zaproponuj rozwiązanie związane z konkretnym punktem w czasie, dzięki czemu dziecko nie będzie się czuło bezsilne. Takie podejście daje mu również poczucie, że samo panuje nad swym losem i decyzjami, które podejmuje.

ROZDZIAŁ 10

„Chodźmy na trening” „Nie! Nie chcę iść na trening!”

Jedne maluchy uwielbiają treningi sportowe, podczas gdy inne próbują się od nich wymigiwać. Jeśli dziecko konsekwentnie się opiera, być może nie odpowiada mu trener bądź też dyscyplina sportu. Jeśli zaś opór jest tylko czasowy, być może nie radzi sobie z wymaganiami lub słabo idzie mu praca w zespole.

Przydatne wskazówki

- Zanim zapiszesz dziecko do klubu, zastanów się, czy wybrany sport interesuje je oraz czy jest dla niego odpowiedni z punktu widzenia możliwości fizycznych. Ćwiczenia w domu powinny pomóc w ocenieniu tych istotnych kwestii.
- Rozważ, czy twoje dziecko potrafi rozumieć i wykonywać polecenia, umie się skupić oraz zdobyć na wysiłek fizyczny, jakiego wymaga dany sport.
- Upewnij się, że dorośli prowadzący zajęcia wyznają filozofię pedagogiczną i wychowawczą podobną do twojej oraz że porozumiewają się z dziećmi w sposób sympatyczny i skuteczny.

Dialog ze sobą

Nie mów sobie:

„Przecież on wie, że zawsze chciałam, żeby został wspaniałym piłkarzem. Nie mogę uwierzyć, że tak mnie rozczarowuje”

Tu nie chodzi o ciebie. Rozczarowanie dzieckiem z racji tego, że nie spełnia twoich marzeń, jest niezdrowe dla was obojga. Potraktuj jego niechęć do chodzenia na treningi jako znak, że jest zmęczony lub że na treningach dzieje się coś, co mu się nie podoba.

Zamiast tego powiedz sobie:

„Wiem, że piłka nożna to moje marzenie, nie jego"

Oddzielenie twoich pragnień od pragnień twego dziecka pomoże ci się skupić na zrozumieniu *jego* powodów odmowy wzięcia udziału w treningu.

Nie mów sobie:

„Co sobie pomyślą inni rodzice, jeśli moje dziecko nie przyjdzie na trening?"

Martwiąc się o to, co pomyślą inni, odwracasz swą uwagę od dziecka. Nie marnuj energii na coś, nad czym nie masz kontroli.

Zamiast tego powiedz sobie:

„Ważne, bym pokazała dziecku związek między treningami i doskonaleniem umiejętności"

Pomóż dziecku zrozumieć, że trzeba ćwiczyć, by nauczyć się robić coś dobrze.

Nie mów sobie:

„Nigdy nie będzie lubiany, jeśli nie będzie dobrze grał. Dlatego musi chodzić na treningi"

Życie to nie konkurs popularności. Twoje dziecko nawiąże przyjaźnie niezależnie od tego, czy będzie uprawiało jakiś sport, czy nie. Używając słów takich jak „nigdy", tworzysz atmosferę bezsilności – niezdrową i bezproduktywną.

Zamiast tego powiedz sobie:

„Muszę mu pomóc zrozumieć, że ciężka praca zwiększy jego szanse na sukces"

Skupiając się na długofalowym celu uprawiania sportu (o ile dziecko tego właśnie chce), twoja pociecha łatwiej zrozumie znaczenie treningu. Zachęcaj dziecko, żeby uprawiało sport po to, by zrealizować swój cel, nie po to, by zaimponować innym.

Nie mów sobie:

„Nie znoszę tłustych, leniwych dzieci, a jeśli mój syn nie będzie chodził na treningi, też się takim stanie"

Pochopne, pesymistyczne wnioski dotyczące losu twojego dziecka są irracjonalne i wywierają na nie niepotrzebną presję. Tym sposobem nie nauczysz go konsekwencji w realizowaniu swych powinności. Dodatkowo, jeśli będziesz się skupiać na jego wadze i wyglądzie, możesz wzbudzić w nim problemy z samowizerunkiem.

Zamiast tego powiedz sobie:

„Moim celem jest pomóc memu dziecku wykształcić w sobie zdrowe zwyczaje"

Zwyczaje wykształcone i utrwalone w okresie przedszkolnym mają dużą szansę stać się nawykami na całe życie.

Dialog z dzieckiem

Nie zawstydzaj. Nie mów:

„Rozczarowujesz mnie. Wyrośnie z ciebie leniwa oferma"

Zawstydzanie dziecka sprawi jedynie, że zacznie o sobie źle myśleć. Jeśli go to mimo wszystko zmotywuje, to jedynie dlatego, że będzie chciało sprawić ci przyjemność, a nie dlatego, by realizować marzenie o uprawianiu sportu, który kocha.

Zamiast tego zachęcaj do odzewu. Powiedz:

„Powiedz mi, co ci się nie podoba w treningach"

Jeśli dowiesz się, że twoje dziecko nie lubi sposobu, w jaki jest traktowane, możesz podjąć odpowiednie kroki, by zaradzić sytuacji. Jeśli powodem jest monotonia treningów, naucz je sposobów radzenia sobie z nudą. Pomóż mu nie rezygnować z miłości do sportu, nawet jeśli nie lubi rygoru treningów.

Nie groź. Nie mów:

„Jeśli zaraz nie będziesz gotowy do treningu, do końca tygodnia możesz się pożegnać z telewizją"

Takie groźby nie zmotywują twojego dziecka ani do tego, by kochało piłkę, ani do tego, by w przyszłości chciało z tobą współpracować. Doprowadzą jedynie do kolejnych kłótni, gdy będzie chciało oglądać telewizję.

Zamiast tego okaż empatię. Powiedz:

„Wiem, że nie chcesz iść na trening, ale czasem musimy robić coś trudnego, by potem móc się cieszyć z efektów"

Pomóż dziecku zrozumieć, że o ile trening nie uczyni go doskonałym, dzięki niemu będzie się jednak czuło pewniej z piłką czy rakietą. Porozmawiaj z trenerem, by wspólnie przekonać dziecko, iż konsekwencja jest niezbędna dla osiągnięcia postawionych celów.

Nie przekupuj. Nie mów:

„Jeśli pójdziesz dziś na karate, kupię ci tę nową figurkę, którą tak bardzo chcesz mieć"

Przekupując dziecko, uczysz je oczekiwać materialnej nagrody za każdym razem, gdy o coś je prosisz. Zamiast tego zachęcaj je, by zrobiło coś dla wewnętrznej satysfakcji i przyjemności. W ten sposób dużo skuteczniej nauczysz swego malca zalet współpracy.

Zamiast tego zaproponuj umowę. Powiedz:

„Jeśli pójdziesz na trening karate i będziesz sumiennie ćwiczył, to potem wspólnie zagramy w domino"

Stosując Regułę Babuni mówisz dziecku, że musi zrobić to, co jest konieczne, by potem móc robić to, co chce. Uczysz je zarazem, że jego plan zajęć jest równie ważny, jak twój.

Nie oceniaj. Nie mów:

„Cóż, wygląda na to, że jesteś taką samą łamagą jak twój cioteczny brat Krzysio. On nie umie zrobić pięciu kroków nie potykając się"

Jedyne, co osiągniesz określając swe dziecko jako nieporadne, to sprawienie, że poczuje się mniej pewnie w kwestii swej osobowości i posiadanych umiejętności.

Zamiast tego zaoferuj pomoc. Powiedz:

„Zróbmy tabelę treningów"

Tabela pokazująca, jak rosną umiejętności twego dziecka, zmotywuje je do dalszych treningów. Możecie na przykład zapisywać ilość strzelonych bramek lub zdobytych punktów.

ROZDZIAŁ 11

„Czas jechać do tatusia (lub mamusi)" „Nie! Nie chcę jechać do tatusia!"

Twemu czterolatkowi może być trudno przyzwyczaić się do ciągłego przemieszczania się między dwoma domami. Dostosowanie się do takich warunków wymaga czasu i wysiłku, zatem kluczową sprawą jest tu cierpliwość. To, jak zareagujesz na protesty twego dziecka, będzie zależało od twojego poziomu empatii oraz stosunku do całej sytuacji. Zadbaj, by w obu domach znajdowały się jakieś lubiane przez malucha przedmioty, lub też umów się z jego drugim rodzicem, by za każdym razem przewozić je z miejsca na miejsce, tak by dziecko wszędzie czuło się jak w domu.

Przydatne wskazówki

- Wywieś w domu rozkład uświadamiający dziecku, kiedy powinno jechać do domu swego drugiego rodzica, lub okresowo przypominaj mu o tym.
- Staraj się prezentować wobec dziecka pozytywne nastawienie do jego drugiego rodzica.
- Wspieraj zdrowy rozwój dziecka, upewniając się, że ty i jego drugi rodzic zgadzacie się co do metod wychowawczych opartych na szacunku i miłości do waszej wspólnej pociechy.

Dialog ze sobą

Nie mów sobie:

„Czyż to nie wspaniale, że moje dziecko woli mój dom?"

Okazując radość z tego, że twemu dziecku bardziej odpowiada twój dom, wprowadzasz w swe stosunki z jego drugim rodzicem destruktywną atmosferę konkurencji. Jeśli tylko drugi dom również stanowi dla dziecka bezpieczne miejsce myśl pozytywnie o czasie, jaki malec tam spędza – niezależnie od twoich uczuć wobec twego byłego partnera.

Zamiast tego powiedz sobie:

„Choć wolę, gdy moje dziecko jest ze mną, wiem, że powinno spędzać czas również ze swoim tatą (lub mamą)"

Zrozumienie potrzeb twego dziecka pozwoli ci robić to, co dla niego najlepsze. Twój pozytywny stosunek do jego drugiego rodzica sprawi natomiast, że maluch lepiej się będzie czuł w jego towarzystwie.

Nie mów sobie:

„Muszę zrobić wszystko, by w moim domu dziecku było lepiej niż u mojego byłego. Dzięki temu będzie chciało zostawać tutaj"

Walka z tatą (mamą) twego dziecka o status „ulubionego rodzica" może przerodzić się w niekończącą się wojnę. Twoim zadaniem jest przekonanie swej pociechy, że oboje kochacie ją bezwarunkowo.

Zamiast tego powiedz sobie:

„To, że moje dziecko marudzi, nie oznacza jeszcze, że nie podoba jej się przebywanie w drugim domu"

Nie interpretuj protestów dziecka jako chęci odrzucenia jego drugiego domu. Jeśli wiesz, że jest to zdrowe, przyjazne miejsce, zachęcaj je do odwiedzin.

Dialog z dzieckiem

Nie lekceważ. Nie mów:

„Nic mnie nie obchodzi, czego chcesz, a czego nie. Jedziesz do ojca (lub matki). Natychmiast wsiadaj do samochodu"

Twój brak empatii zwiększy jedynie u dziecka chęć bycia z tobą, by odzyskać twoją miłość, gdyż zacznie się obawiać, że może ją stracić.

Zamiast tego okaż empatię. Powiedz:

„Rozumiem, że chcesz tu zostać, ale reguły są takie, że dziś jedziesz do taty (lub mamy). Możesz do mnie zadzwonić przed snem"

Posiłkując się regułami, unikasz bezpośredniego konfliktu między tobą i twoim dzieckiem. Proponując, by zadzwoniło, przypominasz mu natomiast, że twoja miłość i wsparcie są zawsze w zasięgu ręki.

Nie dyskredytuj drugiego rodzica dziecka. Nie mów:

„Twój ojciec (lub matka) wciąż unika spędzania z tobą czasu"

Sugerując, że drugi rodzic dziecka nie chce z nim przebywać, sprawisz, że malec straci komfort emocjonalny związany z oscylowaniem pomiędzy domami Twe słowa to potężne narzędzia promujące miłość lub nienawiść, więc dobieraj je uważnie.

Zamiast tego umacniaj atmosferę miłości. Powiedz:

„Tak, będziesz mógł nocować tu w środę. Ale dziś jest poniedziałek – dzień, w którym jedziesz do taty (lub mamy). Już się ciebie nie może doczekać"

Przypominaj dziecku o przyjemnych rzeczach, które czekają je u drugiego rodzica. W ten sposób potrzeby wszystkich stron zostaną zaspokojone, a potencjalne konflikty zostaną zażegnane.

Nie poddawaj się. Nie mów:

„No dobrze, możesz zostać. Wszystko mi jedno"

Choć może się wydawać, że pozwalając dziecku zostać u ciebie, idziesz mu na rękę, to mówiąc, iż jest ci wszystko jedno, co postanowi, sugerujesz, że nie interesuje cię w ogóle jego los. Na dodatek dajesz sygnał, że jeśli tylko dziecko będzie stawiało drobny opór, szybko się poddasz.

Zamiast tego zachęcaj do odzewu. Powiedz:

„Wiem, że dziś chciałabyś tu dziś zostać, ale u tatusia będziesz się świetnie bawić. Opowiesz mi, co tam robiliście?"

Odzew ze strony dziecka może rzucić nieco światła na problemy sprawiające, że nie chce ono jeździć do drugiego domu, i pomoże w zaradzeniu zaistniałej sytuacji. Stosując tę metodę dasz przy tym znać swej pociesze, ze akceptujesz jej bytność u ojca (lub mamy).

ROZDZIAŁ 12

„Czas iść na basen”
„Nie! Nie chcę iść na basen!”

Dla dzieci, których nie interesuje nauka pływania, oraz dla rodziców, którzy boją się wody, zajęcia na basenie mogą bardziej przypominać karę niż przyjemność. Staraj się mówić o nich pozytywnie, nawet jeśli pływanie nie należy do twych ulubionych sposobów spędzania czasu. Naucz swą pociechę, jak ważna jest umiejętność pływania, oraz wyjaśnij zasady zachowania w pobliżu wody – szczególnie jeśli mieszkacie w pobliżu jeziora, rzeki lub strumienia.

Przydatne wskazówki

- Jeśli w niemowlęctwie dzieci dużo bawią się w wodzie, w późniejszych latach chętniej uczą się pływać.
- Baw się z dzieckiem w wannie, by nabrało swobody w wodzie.
- Upewnij się, że instruktor pływania, położenie basenu oraz temperatura wody są odpowiednie do tego, by twoje dziecko podjęło naukę.
- Unikaj narzekania, że w kostiumie kąpielowym wyglądasz grubo albo chudo – nie należy dawać dziecku do zrozumienia, że jedno lub drugie jest niepożądane.

Dialog ze sobą

Nie mów sobie:

„Jakie to głupie, że moje dziecko boi się wody”

Przekonując samą siebie, że obawy twego dziecka są głupie, zwalniasz się z obowiązku pomocy w ich przezwyciężeniu.

Zamiast tego powiedz sobie:

„Moim zadaniem jest pomóc mojemu dziecku w przezwyciężeniu strachu przed wodą”

Zrozum, że strach to instynkt obronny. Twoje dziecko przestanie się bać, gdy pozbędzie się przekonania, że woda stanowi niebezpieczeństwo.

Nie mów sobie:

„To moja wina, że dziecko odziedziczyło po mnie strach przed wodą"

Obwinianie się o obawy twego dziecka niesie ze sobą przekonanie, że jesteś w stanie sprawić, iż będziesz sterować uczuciami dziecka. O wiele bardziej konstruktywne będzie skupienie się na nauczeniu go zasad bezpieczeństwa związanych z zachowaniem w wodzie.

Zamiast tego powiedz sobie:

„Wiem, że teraz nie lubi wody, ale jestem pewna, że nauczy się traktować ją z większą swobodą"

Przekonując samą siebie, że pozytywny wynik jest możliwy, przyczyniasz się do poprawy stanu własnego zdrowia psychicznego i fizycznego.

Nie mów sobie:

„Tak mi wstyd, że moje dziecko nie chce iść na basen z moimi znajomymi i ich dziećmi"

Popełniasz błąd, odczuwając wstyd, gdy twoje dziecko jest niechętne do współpracy. Nieracjonalne jest przekonanie, że jest z nim coś nie tak tylko dlatego, że nie jest jeszcze gotowe do rozpoczęcia nauki pływania.

Zamiast tego powiedz sobie:

„Moim celem jest nauczenie dziecka, jak czuć się w wodzie swobodnie"

Mając cały czas na względzie swój cel, odegnasz negatywne myśli wywołane oporem twego dziecka. Skup się na tym, jak pomóc mu osiągnąć cel, a nie na tym, że odmawia współpracy.

Nie mów sobie:

„Nic mnie nie obchodzi, czy kiedykolwiek nauczy się pływać"

Poddając się, narażasz bezpieczeństwo dziecka na próbę, a także uczysz je, że w obliczu strachu należy zaniechać starań.

Zamiast tego powiedz sobie:

„Nauka pływania jest ważna dla bezpieczeństwa mojego dziecka, więc wciąż będę mu pomagała w lekcjach"

Trzymaj się swego planu, by nauczyć dziecko, jak zachować bezpieczeństwo w pobliżu wody, oraz by pokazać mu, że wytrwałość popłaca.

Dialog z dzieckiem

Nie zastraszaj. Nie mów:

„Będziesz chodzić na basen czy ci się to podoba, czy nie"

Twój brak empatii i bezduszne zmuszanie do lekcji mówi twemu dziecku, że nie zależy ci na jego uczuciach na tyle, by motywować je w sposób wyrozumiały, uwzględniający jego zdanie. Zastanów się, jak ty byś się czuła, gdybyś nie chciała chodzić na lekcje pływania, a ktoś zmuszałby cię do tego.

Zamiast tego zachęcaj do właściwej reakcji zwrotnej. Powiedz:

„Opowiedz mi, co ci się nie podoba w pływaniu"

Dowiadując się o uczuciach swego dziecka, lepiej zrozumiesz źródło jego niechęci. Być może nie lubi, gdy jego twarz jest mokra, lub też nie czuje się swobodnie przy zanurzaniu się pod wodą. Pokaż mu, że jesteś po jego stronie, okazując empatię wobec jego obaw.

Nie poddawaj się. Nie mów:

„Dobrze, kochanie. Nie musisz robić niczego, na co nie masz ochoty"

Nie dawaj dziecku prawa weta w kwestii istotnej dla jego bezpieczeństwa. Inaczej nie nauczy się ono wytrwałości w obliczu czegoś, co nie przychodzi łatwo.

Zamiast tego okaż empatię. Powiedz:

„Wiem, że nie chcesz chodzić na te lekcje, ale umiejętność pływania jest bardzo ważna. Wiem także, że trudno robi się rzeczy, na które nie ma się ochoty, dlatego będę tuż obok basenu"

Zmniejszysz niepokój dziecka przypominając o znaczeniu umiejętności pływania oraz przypominając mu, że cały czas będziesz w pobliżu. Zapewnisz je jednocześnie, że ma kogoś, kto będzie je dopingował w trudnych chwilach.

Nie przekupuj. Nie mów:

„Jeśli zgodzisz się chodzić na basen, kupię ci pieska"

Uczenie dziecka trudnej sztuki współpracy nie powinno się wiązać z podarkami za wykonywanie poleceń. Malec pomyśli wówczas, że robiąc coś, na co nie ma ochoty, zawsze zasługuje na nagrodę.

Zamiast tego zaproponuj umowę. Powiedz:

„Jeśli będziesz się słuchać instruktora, możesz zaprosić do domu koleżanki"

Reguła Babuni mówi dziecku, że może zrobić coś, na co ma ochotę, po spełnieniu obowiązku. Obietnica zrealizowania własnych planów po tym, jak zrealizuje twoje, uczy je elastyczności i cierpliwości.

Nie zawstydzaj. Nie mów:

„Chyba mi znów nie przyniesiesz wstydu, rycząc i wrzeszcząc na basenie, prawda? Przestań być mazgajem!"

Stosowanie wyzwisk wobec dziecka pokazuje mu, że twoja miłość nie jest bezwarunkowa. Uczysz go dokuczać innym, jeśli nie spełniają jego oczekiwań – a przecież wolałabyś, by uniknęło takiej lekcji.

Zamiast tego wspieraj swe dziecko. Powiedz:

„Wiem, że nie chcesz chodzić na basen, ale jesteś dzielny i na pewno sobie poradzisz"

Nie lekceważ zarówno oporu dziecka, jak i jego odwagi. Zapewnij malca, że rozumiesz jego obawy, przypominając jednocześnie, że ma dostatecznie dużo siły, by je przezwyciężyć. Wzmocni to jego pewność siebie, a także ułatwi radzenie sobie z trudnościami w przyszłości.

CZĘŚĆ II

UBIERANIE SIĘ

Nasz dylemat bierze się z tego, że nienawidzimy zmiany,
a jednocześnie kochamy ją. Tak naprawdę chcemy,
by nic się nie zmieniało, a jedynie rosło.

—Sidney J. Harris

ROZDZIAŁ 13

„Załóż czyste ubranie"
„Nie! Chcę chodzić w brudnym ubraniu!"

Czy jest się starym, czy młodym, ulubione ubranie jest jak stary przyjaciel. Dlatego też uszanuj to, że twój czterolatek dzień w dzień chce chodzić w tym samych ciuchach, ale jednocześnie nie wycofuj się z reguły wymagającej chodzenie w czystym. Uświadom dziecku, że pralka tylko chwilowo „zabierze" mu jego ulubiony strój. Jakże się będzie cieszyć, gdy do niego „wróci".

Przydatne wskazówki

- Wprowadź regułę dotyczącą chodzenia w czystym ubraniu. Jednocześnie upewnij się, że dziecko dokładnie rozumie znaczenie pojęcia „brudne". Możesz na przykład powiedzieć: „Chodzimy tylko w ubraniu, które nie ma plam i nie pachnie brzydko".
- Rozmawiaj z dzieckiem o znaczeniu czystości, tak by rozumiało, dlaczego trzeba regularnie prać ubranie.
- Niech dziecko pomoże ci przy praniu, żeby samo zobaczyło, jak ubranka „wchodzą" brudne, a „wychodzą" czyste.

Dialog ze sobą

Nie mów sobie:

„Wiem, że nie powinnam się poddawać, ale nie mam już siły ciągle się z nią kłócić. Niech nosi, co chce"

Twój brak konsekwencji uczy dziecko, że tak naprawdę nie masz na myśli tego, co mówisz, oraz że nie ma nic złego w poddawaniu się w obliczu trudności.

Zamiast tego powiedz sobie:

„Chcę ją nauczyć, że człowiek dobrze się czuje w czystym"

Postrzeganie problemu jako okazji do nauczenia dziecka ważnej lekcji sprawi, że pozytywnie podejdziesz do konieczności przekonania dziecka do noszenia czystego ubrania.

Nie mów sobie:

„Sama powinna chcieć chodzić w czystym ubraniu. Co z nią?"

Nie oceniaj dziecka na podstawie tego, co chce nosić. Taki osąd nauczyłby je, że jego decyzje czasem obniżają jego wartość. W rezultacie może dążyć do doskonałości tylko po to, by zdobyć twoją miłość. Każdy popełnia błędy, musisz więc postrzegać je jako okazje do nauczenia twej pociechy czegoś, co dotychczas było mu nieznane..

Zamiast tego powiedz sobie:

„To nic szczególnego, że chce ciągle chodzić w jednej sukience"

Zrozum, że przedszkolaki często opierają się zmianom, a następnie pomóż dziecku poradzić sobie z ich koniecznością.

Nie mów sobie:

„Co sobie pomyślą nauczyciele, jeśli codziennie będzie przychodził do szkoły w tym samym ubraniu?"

Gdy łapiesz się na tym, że martwisz się, co myślą o tobie inni, przypomnij sobie o Regule 20-40-60: Gdy masz dwadzieścia lat, martwisz się, co inni pomyślą o tobie; gdy masz czterdzieści lat, nic cię to nie obchodzi; gdy masz sześćdziesiąt lat, dochodzisz do wniosku, że przez cały ten czas nikt nie zwracał na ciebie uwagi.

Zamiast tego powiedz sobie:

„Rozumiem, że dobrze się czuje nosząc cały czas to samo ubranie. Ja też czasem mam na to ochotę"

Wczucie się w chęć noszenia wciąż tego samego ubrania, jaką odczuwa twoje dziecko, sprawi, że poczuje ono, iż rozumiesz jego obawy, przed rozstaniem się z ulubionym ciuszkiem.

Dialog z dzieckiem

Nie gróź. Nie mów:

„No dalej, ubierz się w brudy. Nikt cię nie będzie lubił, jeśli będziesz nosił brudne ubranie"

Grożenie przedszkolakowi społeczną izolacją nie odniesie żadnego skutku – w tym wieku dziecko chce po prostu robić to, na co ma ochotę. Poza tym chcesz przecież, żeby nosiło czyste ubranie nie ze względu na strach przed odrzuceniem, ale po to, by wyrobić zdrowe nawyki.

Zamiast tego zaproponuj inne opcje. Powiedz:

„Przykro mi, ta sukienka musi iść do prania. Jutro będzie czysta i znów będziesz ją mogła założyć. A na dziś wybierzmy coś innego"

Twoja stanowcza postawa połączona z przedstawieniem innych możliwości pomoże dziecku ćwiczyć cierpliwość i elastyczność. Pozwalając mu wybrać inne ubranie, odwołujesz się do jego pragnienia decydowania o tym, co nosi.

Nie upokarzaj. Nie mów:

„Co z tobą? Nie chcesz nosić nic innego, tylko tę starą brudną bluzę!"

Upokarzanie dziecka w ten sposób uczy je, że może stracić twoją miłość i wsparcie tylko dlatego, że chce ciągle chodzić w tym samym. Nie karz mu wybierać między tobą a ubraniem.

Zamiast tego zaproponuj umowę. Powiedz:

„Rozumiem, że chciałbyś dziś znów założyć tę bluzę, ale nie możesz, bo jest brudna. Wybierzmy na dzisiaj coś innego, a gdy się już ubierzesz, aż do wyjścia do przedszkola będziemy mogli pooglądać twój ulubiony program w telewizji"

Stosując Regułę Babuni by zmotywować dziecko do wyboru innego ubrania, możesz mu pomóc nauczyć się, jak sobie radzić ze zmianami. Reguła Babuni mówi mu, że gdy zrobi to, co musi zrobić, będzie mogło zająć się czymś, na co ma ochotę.

Nie błagaj. Nie mów:

„Proszę, załóż czystą sukienkę. Zrób to dla mamusi..."

Choć to rozwiązanie jest z pewnością kuszące, błaganiem nie nauczysz dziecka samodzielnego dokonywania właściwych wyborów. Zacznie się za to martwić, czy wciąż będziesz je kochać, jeśli nie będzie posłuszne.

Zamiast tego okaż empatię. Powiedz:

„Wiem, że kochasz swoją ulubioną sukienkę. Ja też kocham moją. Upierzmy je razem, żebyśmy obie mogły je założyć, gdy będą czyste"

Dzieląc z dzieckiem pragnienie noszenia tego samego ubrania, pokazujesz mu, że jesteście w tej samej drużynie. Wspólna praca przyniesie wam obojgu pożądane rezultaty.

ROZDZIAŁ 14

„Proszę, ubierz się” „Nie! Nie chce się ubierać!”

Gdy twój trzylatek odmawia ubrania się mimo twoich licznych próśb, może to mieć kilka różnych przyczyn: chce sam wybrać, co założy, chcc sam decydować, kiedy się ubierze, lub nie chce przerywać tego, co robi. Taka próba sił może się zakończyć katastrofą, o ile nie zachowasz spokoju i nie skupisz się na swym celu: wyjściu z domu na czas, bez łez.

Przydatne wskazówki

- Zanim poprosisz dziecko, by się ubrało, powiedz, jakiego rodzaju ubranie powinno tego dnia założyć. Dzięki temu skierujesz jego myśli na właściwe tory oraz ułatwisz mu właściwy wybór.
- Upewnij się, że twoje dziecko potrafi samodzielnie wykonać wszystkie czynności potrzebne do ubrania się. Zachęć je do skorzystania z twej pomocy w tym, z czym samo sobie nie radzi.
- Zostaw na ubranie się i inne czynności odpowiednio dużo czasu, tak by dziecko mogło nauczyć się współpracować bez niepotrzebnej presji.
- Wprowadź zasadę regulującą czas, w którym dziecko musi być rano ubrane.

Dialog ze sobą

Nie mów sobie:

„Przez to, że nie chce się ubierać, codziennie się spóźniam”

Obwinianie dziecka o twoje spóźnienia nie nauczy go posłuszeństwa.

Zamiast tego powiedz sobie:

„Jestem sobie w stanie poradzić z oporem mojego dziecka”

Utwierdzając się w przekonaniu, że potrafisz przełamać opór dziecka, zapewnisz sobie energię potrzebną do rozwiązania problemu.

Nie mów sobie:

„Nie mogę go zawieźć do przedszkola w piżamie. Jego wychowawczyni pomyśli, że jestem złą matką"

Jeśli będziesz się martwić o to, co pomyślą o tobie inni, utrudnisz sobie tylko rozwiązanie problemu. Na dodatek wciąż będziesz planować swe poczynania tak, by móc się komuś przypodobać.

Zamiast tego powiedz sobie:

„Ja też czasem mam ochotę cały dzień zostać w piżamie"

Przedszkolaki dobrze się czują w piżamie, dlatego ubieranie się wydaje im się całkowicie pozbawione sensu. Wczucie się w sytuację dziecka pomoże ci zachować pozytywne nastawienie do sytuacji, dzięki czemu łatwiej ci będzie znaleźć pomysłowe sposoby przekonania twej pociechy do założenia ubrania.

Nie mów sobie:

„Wiem, że potrafi się sam ubrać. Po prostu jest uparty, dokładnie jak jego ojciec"

Przypinanie maluchowi etykietki upartego może się okazać samospełniającą się przepowiednią, natomiast obwinianie kogoś o zachowanie dziecka może doprowadzić do ochłodzenia jego stosunków z tą osobą.

Zamiast tego powiedz sobie:

„Bardzo zależy mi na tym, żeby ubieranie się nie przypominało codziennej bitwy"

Bądź dla swojego dziecka pomocnikiem, nie wrogiem. W ten sposób wprowadzisz w wasze stosunki pozytywną, optymistyczną atmosferę, w której lepiej wam będzie wspólnie pracować nad wykonaniem zadania.

Dialog z dzieckiem

Nie gróź. Nie mów:

„Jeśli nie będziesz ubrany, jak wrócę, dostaniesz lanie"

Groźba fizycznego bólu stanowi dla dziecka jedynie znak, że jego rodzice są więksi i silniejsi, i nie zawahają się go skrzywdzić, by zrobiło to, czego od niego oczekują. Co prawda można w ten sposób osiągnąć chwilowe posłuszeństwo, lecz na dłuższą metę z pewnością osiągniesz lepsze efekty ucząc dziecko pozytywnych zachowań, zamiast karać je za opór.

Zamiast tego zaproponuj grę. Powiedz:

„Kochanie, czas się ubrać. Zobaczymy, czy uda ci się założyć spodnie, zanim zadzwoni budzik"

Taką zabawą zainteresujesz dziecko i obudzisz w nim naturalny instynkt rywalizacji. Zmotywujesz je do gry i walki z czasem, tak że zapomni, iż celem jest ubranie się.

Nie okazuj gniewu. Nie mów:

„Ty mnie lepiej nie denerwuj. Ubieraj się, zanim się wściekne!"

Stosując gniew jako narzędzie do motywowania dziecka, dajesz mu władzę nad swymi emocjami oraz upośledzasz jego zdolność odczuwania empatii, a przy tym nie uczysz go w ogóle, jak wykonać konieczną pracę.

Zamiast tego przedstaw możliwe opcje. Powiedz:

„Musimy się teraz ubrać. Możesz się ubrać sama, albo mogę ci w tym pomóc. Wybór należy do ciebie"

Taki sposób zawarcia umowy mówi dziecku wyraźnie, że konieczność ubrania się nie podlega dyskusji, ale daje mu wybór sposobu wykonania zadania. Dzięki temu możliwa jest realizacja priorytetów każdego z was.

Nie upokarzaj. Nie mów:

„Co z tobą? Nie wychowałam cię na lenia! Ubieraj się, ale już!"

Sugestia wady charakteru może wzbudzić w dziecku przekonanie, że nie jest w stanie osiągnąć celu, że nie zasługuje na miłość rodziców oraz że nie ma wpływu na własne zachowanie.

Zamiast tego zaoferuj pomoc. Powiedz:

„Pomogę ci założyć skarpetki i buty, jeśli założysz spodnie i koszulkę"

Proponując pomoc w wykonaniu części zadania, motywujesz dziecko, by resztę zrobiło samo. Jeśli będzie się czuło twoim partnerem, nauczy się, że pracując w zespole łatwiej można wykonać konieczną pracę.

Nie przekupuj. Nie mów:

„Jeśli się samodzielnie ubierzesz, w drodze do przedszkola kupię ci coś słodkiego"

Przekupstwo zachęca dziecko do upomnienia się o nagrodę zanim podejmie współpracę. Prezentując opcję „jeśli", zachęcasz je natomiast do zadania sobie pytanie: „A co, jeśli nie?" – może wówczas odmówić współpracy tylko po to, żeby zobaczyć, co wtedy zrobisz.

Zamiast tego zaproponuj umowę. Powiedz:

„Gdy się ubierzesz, zjemy razem śniadanie"

Twoją powinnością jest nauczenie dziecka, że obowiązki mają pierwszeństwo wobec tego, na co ma ochotę. Reguła Babuni da twemu malcowi zdrową zachętę do współpracy.

Nie zrzędź. Nie mów:

„Już piąty raz proszę cię, żebyś się ubrał. Ile razy muszę to jeszcze powtórzyć?"

Twoje nieustanne gderanie pokaże dziecku, że nie musi cię słuchać, gdyż i tak nie robisz tego, co zapowiadasz.

Zamiast tego przypomnij o regule. Powiedz:

„Reguła wymaga, byśmy byli ubrani, zanim będziemy mogli się bawić"

W ten sposób to reguła staje się „winna", a ty możesz się postawić po stronie dziecka.

ROZDZIAŁ 15

„Załóż buty"
„Nie! Nie chcę założyć butów!"

Dla niektórych dwulatków nie ma większej przyjemności niż bieganie na bosaka. Żądając założenia butów, możesz doprowadzić do wybuchu. Wytłumacz dziecku, że ziemia i podłoga bywają niebezpieczne (stłuczone szkło, drzazgi, ostre kamienie, gorący asfalt itp.), by rozumiało, że musi okryć stopy dla swojego bezpieczeństwa. Pozwalaj mu natomiast biegać na bosaka, kiedy tylko niczym to nie grozi.

Przydatne wskazówki

- Ustal reguły decydujące o tym, gdzie i kiedy trzeba nosić buty – ze względów społecznych oraz dla bezpieczeństwa.
- Wykształcaj właściwe zachowanie, opowiadając o tym, jakie obuwie nosisz oraz dlaczego to robisz. Na przykład: „Założyłam dziś botki, ponieważ na dworze jest zimno i mokro".
- Niech wybór obuwia będzie zawsze podyktowany przez termometr i prognozę pogody.
- Upewnij się, że dziecko potrafi samodzielnie założyć buty, zanim tego od niego zażądasz.

Dialog ze sobą

Nie mów sobie:

„Nigdy się nie nauczy zakładać butów. Do końca życia będzie chodzić boso"

Nie wyolbrzymiaj problemu myśląc, że dziecko *nigdy* czegoś się nie nauczy. Przyjmując postawę bezradności i beznadziei, zniechęcasz się do poszukiwania twórczych rozwiązań.

Zamiast tego powiedz sobie:

„Wcześniej czy później nauczy się sama zakładać buty. Do tego czasu mogę jej pomagać"

Zachowując pozytywne nastawienie wobec rozwoju swego dziecka, ustrzeżesz się przed wyrabianiem w sobie nierealistycznych oczekiwań. Natomiast dzięki otwartości umysłu znajdziesz więcej sposobów na rozwiązanie problemu. Możesz na przykład kupić dziecku buty na rzepy zamiast sznurowanych.

Nie mów sobie:

„Jeśli moje dziecko będzie chodziło bez butów, sąsiedzi pomyślą, że jesteśmy złymi rodzicami. Dlatego nigdy nie może chodzić boso"

Nie podejmuj decyzji wychowawczych opartych na tym, co inni mogą sobie o tobie pomyśleć. W kwestiach związanych ze szczęściem i bezpieczeństwem twojego dziecka to ty jesteś najlepszym ekspertem.

Zamiast tego powiedz sobie:

„Chcę, by moje dziecko nosiło buty, bo dbam o jego bezpieczeństwo"

Zawsze pamiętaj o intencjach przyświecających danej zasadzie, a gdy twe dziecko będzie ją kwestionować, miej na uwadze obrany przez ciebie cel.

Dialog z dzieckiem

Nie gróź. Nie mów:

„Jeśli wiesz, co dla ciebie dobre, NATYCHMIAST założysz buty!"

Niejasne groźby słabo motywują, a zarazem uczą dziecko, że wolno używać strachu jako narzędzia wywierania presji na innych..

Zamiast tego przypomnij o zasadzie. Powiedz:

„Jak brzmi reguła o chodzeniu w butach? Co mówi termometr?"

Jeśli dziecko będzie pamiętać o regule, łatwiej nauczy się zwracać uwagę na warunki pogodowe, zanim zdecyduje, co danego dnia założyć. To reguła staje się wówczas jej przewodnikiem i cerberem, nie ty.

Nie okazuj gniewu. Nie mów:

„Zaczynasz mnie złościć, więc lepiej załóż te buty, zanim się do reszty zdenerwuję!"

Nie motywuj dziecka gniewem – inaczej stanie się strachliwe i mniej zdolne do odczuwania empatii. Okazując gniew marnujesz również okazję, by nauczyć go, że praca zespołowa jest korzystna dla was obojga.

Zamiast tego ćwicz wraz z dzieckiem. Powiedz:

„Potrenujmy zakładanie butów. Pomogę ci je założyć, a ty zapniesz paski"

By opanować nową umiejętność, trening jest niezbędny. Pracujcie nad tym razem, krok po kroku. Wszelki postęp sowicie nagradzaj pochwałami.

Nie przekupuj. Nie mów:

„Jeśli założysz buty, dam ci cukierka"

Przekupstwem uczysz dziecko, że zanim zrobi, o co je prosisz, powinno się upomnieć o nagrodę. Nie wprowadzaj systemu, w którym posłuszeństwo wymaga materialnej gratyfikacji.

Zamiast tego zaproponuj umowę. Powiedz:

„Gdy założysz buty, będziemy mogli iść do parku, tak jak chciałeś. Czasem na ziemi w parku leżą ostre przedmioty, dlatego reguła mówi, że musisz tam chodzić w butach"

Regułą Babuni motywujesz dziecko do współpracy, by mogło zrobić to, na co ma ochotę. Z kolei twoje wyjaśnienie zasady uczy malca, dlaczego trzeba jej przestrzegać.

ROZDZIAŁ 16

„Załóż tę koszulkę"
„Nie! Nie chcę tego założyć!"

Jak byś się czuła, gdyby codziennie ktoś nakazywał ci, w co masz się ubrać? Najważniejszym celem przyświecającym trzyletniemu dziecku jest panowanie nad swoim światem, zatem bądź gotowa na to, że jego opinie będą dla niego ważniejsze od twoich zasad ubioru. By uniknąć ciągłych bitew, a także nauczyć malca, jak wybierać odpowiednie ubranie, wprowadź zasady mówiące o tym, jakie ubranie powinien zakładać w zależności od okazji i warunków atmosferycznych.

Przydatne wskazówki

- Wraz z dzieckiem wybieraj ubranka zawczasu, tak by uniknąć straty czasu, gdy będziesz się spieszyć. W przypadku, gdyby dziecko mimo wszystko stawiało opór, trzymaj się wcześniej podjętej wspólnej decyzji. Inaczej maluch zacznie testować wszelkie twe decyzje, niezależnie od tego, czy brał udział w ich podejmowaniu, czy też nie.
- Wyrabiaj w dziecku zdolność orientacji i koordynacji, umieszczając pasujące do siebie ubrania w oddzielnych szufladach lub pojemnikach.
- Jeśli zajdzie taka potrzeba, powoli odzwyczajaj dziecko od jednego ulubionego ubranka, w pierwszym tygodniu zabraniając noszenia go przez jeden dzień, w drugim przez dwa – i tak dalej, aż będzie się ubierać w ulubiony ciuszek tylko raz w tygodniu lub jeszcze rzadziej.

Dialog ze sobą

Nie mów sobie:

„Co się dzieje z moim dzieckiem? Wciąż jest takie wybredne w kwestii ubrania"

Unikaj postrzegania całkowicie naturalnego zjawiska w negatywnym świetle. Nic się nie „dzieje" z twoim dzieckiem, jeśli po prostu chce chodzić w tym, co lubi.

Zamiast tego powiedz sobie:

„Cieszę się, że moje dziecko ma własne zdanie i nie boi się go wyrażać"

Szanując zdanie swego dziecka, łatwiej będzie ci pracować wraz z nim w jednym zespole.

Nie mów sobie:

„Niech się wreszcie weźmie w garść. Te jego ciągłe grymasy doprowadzają mnie do szaleństwa"

Pozwalając zachowaniu twego dziecka wpływać na twoje uczucia, postępujesz irracjonalnie i bezcelowo.

Zamiast tego powiedz sobie:

„To, że ma własny rozum i własne zdanie, nie oznacza, że powinno mnie to martwić. Przeciwnie, powinnam wspierać jego niezależność"

Jeśli pozwolisz dziecku podejmować decyzje – oczywiście w określonym zakresie – utwierdzisz je w przekonaniu, że wolno mu mieć własne zdanie. Dając mu pewną kontrolę nad sobą, pokazujesz mu, że również ma prawo decydować i być równoprawną częścią twojego zespołu.

Nie mów sobie:

„Jest równie uparty jak jego ojciec (lub matka). Nie wytrzymam ich obojga pod jednym dachem!"

Choć twoja rodzina faktycznie może mieć tendencję do upartości, mówiąc sobie, że nienawidzisz jej, podważasz swą własną zdolność do radzenia sobie z problemem, a także wzbudzasz w sobie gniew i rozgoryczenie wobec swego partnera.

Zamiast tego powiedz sobie:

„To, że jest nieustępliwy, nie znaczy jeszcze, że coś z nim jest nie tak"

Zawsze patrz na całą sytuację z dystansu. Skup się na wyborze ubrania odpowiedniego do okoliczności, nie na charakterze twego dziecka.

Dialog z dzieckiem

Nie upokarzaj. Nie mów:

„Co z tobą? Dlaczego nie możesz po prostu ubrać się w to, co potrzeba?"

Sugerując, że dziecko ma wadę charakteru, zabijasz w nim naturalną chęć wyrażania swego zdania. Zadając pytanie „dlaczego", możesz natomiast sprawić, że twa pociecha przyjmie defensywną pozycję, próbując uzasadnić swoje stanowisko.

Zamiast tego naucz dziecko reguły. Powiedz:

„Wiem, że chciałbyś iść do szkoły w kąpielówkach, ale zgodnie z regułą do szkoły chodzimy w spodniach i koszulce. Możesz założyć kąpielówki, gdy wrócisz do domu"

Przywołując regułę, wybielasz się w oczach dziecka, „winowajcą" czyniąc właśnie ją. Dajesz mu także możliwość wyboru w (dozwolonych ramach).

Nie okazuj gniewu. Nie mów:

„Zakładaj, co ci każę! Ciągle chodziłbyś w czymś bezsensownym. Mam tego po dziurki w nosie!"

Chociaż frustracja może sprawiać, że będziesz miała ochotę zareagować na opór gniewem, zastanów się jak poczuje się wówczas twoje dziecko.

Zamiast tego okaż empatię. Powiedz:

„Wiem, że chciałbyś dziś założyć krótkie spodenki. Ja też. Ale reguła mówi, że kiedy termometr wskazuje, że na dworze jest zimno, zakładamy spodnie i koszulę z długim rękawem"

Udowadniając dziecku, że podzielasz jego pragnienie noszenia ulubionego ubrania, dajesz mu znak, że interesuje cię jego zdanie. Natomiast poprzez odwołanie się do zasady określającej stosowny ubiór, pozostawiasz mu swobodę wyboru w obrębie wyznaczonych granic. Uczysz je także, że naszym zachowaniem rządzą zasady, które mówią nam, co jest odpowiednie, a co nie.

Nie błagaj. Nie mów:

„Kotku, zrób, o co mamusia tak ładnie prosi"

Takie prośby pokazują dzieciom, że to one kontrolują sytuację – a taka perspektywa zwykle je przeraża. Co więcej, wzbudzając poczucie winy w swym dziecku, zdobędziesz co prawda jego posłuszeństwo, ale tylko dlatego, że dziecko będzie chciało upewnić się, iż wciąż je kochasz. Nie powinnaś dopuścić do tego, by postrzegało twoją miłość jako zależną od jego chęci współpracy.

Zamiast tego przypomnij o zasadzie. Powiedz:

„Wiem, że chcesz dziś założyć szorty. Czy termometr mówi, że jest na to dostatecznie ciepło?"

Czyniąc termometr odpowiedzialnym za przestrzeganie reguły, zmniejszasz szansę na potencjalny konflikt między tobą i dzieckiem. Jednocześnie uczysz swą pociechę opierać własne decyzje na warunkach pogodowych.

ROZDZIAŁ 17

„Proszę, przebierz się”
„Nie! Nie chcę się przebierać!”

Gdy twój pięciolatek nie chce przebrać się w strój wyjściowy lub kostium piłkarski, wysyła ci sygnał, że wybór odpowiedniego ubrania powinien należeć do niego. Prawdę mówiąc w tym wieku uważa, że wybór *czegokolwiek* powinien należeć do niego! Musisz więc sama stwierdzić, kiedy reguły dotyczące ubioru powinny obowiązywać (ze względu na pogodę, bezpieczeństwo, względy towarzyskie, czystość lub komfort), a kiedy nie.

Przydatne wskazówki

- Gdy tylko możesz, mów dziecku, dlaczego sama się przebierasz, tak by nauczyło się, dlaczego w różnych sytuacjach stosowny jest inny ubiór.
- Ogranicz wybór ubrań, by uniknąć niepewności oraz awantur. Możesz na przykład powiedzieć: „Zanim wyjdziesz się bawić, wybierz, czy założysz dżinsy, czy ogrodniczki”.

Dialog ze sobą

Nie mów sobie:

„Dlaczego nie może pojąć, że zanim wyjdzie na dwór bawić się z koleżankami, musi się przebrać w ubranie do zabawy?"

Noszenie stosownego do sytuacji ubrania nie ma dla dziecka w wieku przedszkolnym istotnego znaczenia.

Zamiast tego powiedz sobie:

„Moim zadaniem jest nauczyć dziecko przestrzegania reguł"

Ucząc dziecko, kiedy należy się przebierać, wpajasz mu także bardziej ogólną lekcję: że reguły stanowią schemat prawidłowego zachowania. Znajomość zasad zmniejsza niepewność, co zrobić w danej sytuacji.

Nie mów sobie:

„Matka ostrzegała mnie, że będę miała nieznośne dziecko, i miała rację"

To, że twoje dziecko nie chce się przebrać, nie oznacza jeszcze, że jest niedobre. Tłumacząc sobie brak jego posłuszeństwa przepowiednią matki, zwiększasz jedynie swoją frustrację – zaistniałego problemu na pewno w ten sposób nie rozwiążesz.

Zamiast tego powiedz sobie:

„Opór mojego dziecka przed zmianą nie jest niczym niezwykłym. Poradzę sobie"

Gdy zdasz sobie sprawę z tego, że dzieci – podobnie zresztą jak i dorośli – często opierają się zmianom, łatwiej ci będzie poradzić sobie z zachowaniem twojej pociechy.

Nie mów sobie:

„Nigdy nie zacznie mnie słuchać. Dlaczego nie może po prostu robić tego, o co ją proszę?"

Jeśli będziesz dramatyzować, postrzegając sytuację w absolutnych kategoriach „zawsze" i „nigdy", utrudnisz sobie zrozumienie zachowania dziecka i rozwiązanie problemu.

Zamiast tego powiedz sobie:

„Jej opór nie oznacza, że nigdy nie nauczy się słuchać"

Odczuwanie empatii wobec pragnienia twego dziecka, by sprawować kontrolę nad własnym życiem pomoże ci nauczyć je, jak w miarę wzrastania podejmować decyzje.

Dialog z dzieckiem

Nie upokarzaj. Nie mów:

„Nie, nie wolno ci tego założyć. Oszalałeś?"

Sugerując, że twoje dziecko ma problem psychiczny, nie zmotywujesz go do współpracy, a jedynie spowodujesz, że zacznie postrzegać siebie w negatywnym świetle. Jednocześnie nauczysz malca, jak oceniać innych i używać ostrych słów do określenia ich zachowania.

Zamiast tego przypomnij o regule. Powiedz:

„Jaka jest reguła mówiąca o tym, co musisz nosić na treningu piłkarskim?"

Przypominając dziecku o regule, sprawiasz, że lepiej ją pamięta i stosuje, by zapanować nad sytuacją. Ty natomiast stajesz się jego pomocnikiem, nie wrogiem.

Nie błagaj. Nie mów:

„Bądź dobrą dziewczynką i idź się przebierz"

Błagając o to, by była „dobrą dziewczynką", popełniasz dwa zasadnicze błędy: sugerujesz, że skoro nie chce zmienić ubrania, jest z nią coś nie w porządku, oraz nie postrzegasz odrębnie dziecka i jego zachowania. Zachowanie nie determinuje, kim jest dziecko, dlatego unikaj określeń takich jak „dobra dziewczynka" i „niedobra dziewczynka".

Zamiast tego zaproponuj umowę. Powiedz:

„Kiedy się przebierzesz w ubranie do zabawy, możesz wyjść na dwór pobawić się z innymi dziećmi"

Takie zastosowanie Reguły Babuni pokazuje dziecku, że ma wybór, a jego decyzje niosą za sobą konsekwencje. Może wybrać nieprzebranie się – i rezygnację z zabawy – lub zrobić, o co je prosisz, i spełnić to, na co ma ochotę.

Nie gróź. Nie mów:

„Jeśli się nie przebierzesz, wściekne się. Chyba nie chcesz, żebym się wściekła, prawda?"

Grożąc dziecku swym gniewem, dajesz mu do wyboru dwie nieciekawe opcje: może odmówić współpracy i patrzeć, jak wybuchasz (jakaż to pasjonująca lekcja związków przyczynowo-skutkowych!), lub może współpracować, kierowane poczuciem strachu.

Zamiast tego pokaż sytuację w innym świetle. Powiedz:

„Jutro jest sobota, więc nie będziesz musiał zakładać szkolnego ubrania. Ale dziś jeszcze idziesz do szkoły, więc musisz się odpowiednio ubrać"

Wskazując dziecku na jakiś punkt w przyszłości, na który mogłoby oczekiwać, masz szansę odwrócić jego uwagę od pragnienia pozostania w ubraniu, które w owej chwili ma na sobie.

Nie zrzędź. Nie mów:

„Ile razy mam ci powtarzać, żebyś się wreszcie przebrała?"

Zrzędzeniem nie nauczysz dziecka współpracy i nie zmotywujesz go, by wykonywało twoje polecenia.

Zamiast tego zaproponuj grę. Powiedz:

„Zobaczmy, czy zdążysz się przebrać w sukienkę, zanim zadzwoni budzik"

Odwołując się do naturalnego dla dzieci ducha współzawodnictwa, odwracasz uwagę malca od potencjalnego konfliktu i zabawą motywujesz go do współpracy.

CZĘŚĆ III

JEDZENIE

Uważam, że najlepszym sposobem na rozwiązanie problemu jest znalezienie w nim odrobiny humoru.

—Frank Clark

ROZDZIAŁ 18

„Zostań przy stole"
„Nie! Chcę odejść od stołu!"

Prośba o pozwolenie na opuszczenie stołu to klasyk w każdej rodzinie. Kiedy już twój czterolatek naje się, traci zainteresowanie rozmową i ma ochotę iść się pobawić. Myśl realistycznie o tym, jak długo chcesz, by siedziało przy stole – mając na uwadze, jak dłuży się czas malcowi, który potrafi skupić uwagę dużo krócej niż ty.

Przydatne wskazówki

- Na czas posiłku wyłącz telewizor i komputer, tak by nic nie odwracało uwagi dziecka od jedzenia.
- Ustaw budzik lub minutnik, by dziecko wiedziało, kiedy może już odejść od stołu.
- Jeśli zachodzi taka potrzeba, zatroszcz się o to, by ktoś mógł mieć dziecko na oku, gdy odejdzie ono od stołu – żebyś wiedziała, że cały czas jest bezpieczne.
- Staraj się jeść jak najwięcej posiłków przy stole, tak by dziecko przyzwyczaiło się do tego. Ograniczaj jedzenie w samochodzie i w innych miejscach.

Dialog ze sobą

Nie mów sobie:

„Teraz, gdy się rozwiodłam, moje dziecko nigdy nie zazna wspaniałych rodzinnych obiadów, jakie pamiętam z mojego dzieciństwa"

Używając słów takich jak „nigdy" i „zawsze", wzbudzasz w sobie uczucie bezsilności i niezdolności do zmiany swych uwarunkowań życiowych oraz punktu widzenia. To, że się rozwiodłaś, nie znaczy, że rodzinne obiady są niemożliwe.

Zamiast tego powiedz sobie:

„Jedzenie posiłków z moim dzieckiem to wciąż rodzinne przeżycie"

Mimo że przy stole nie ma obojga rodziców, podkreślanie znaczenia razem spożywanych posiłków wykształci w dziecku poczucie rodzinnej wspólnoty. Czyń te chwile przyjemnymi, nie nalegając, by twoja pociecha zostawała przy stole dłużej, niż dyktuje rozsądek.

Nie mów sobie:

„Moje dziecko nie lubi być przy stole w moim towarzystwie"

Nie traktuj osobiście chęci dziecka, by odejść od stołu. Pamiętaj, że dla niego najważniejsze jest to, by iść się bawić, nie to, by siedzieć z dorosłymi.

Zamiast tego powiedz sobie:

„Rozmowa z dzieckiem podczas posiłków, chociaż przez kilka minut, jest bardzo ważna"

Niech ważniejsza od długości wspólnych posiłków będzie ich jakość. Nie chodzi o to, by siedzieć przy stole bardzo długo, ale o to, by królowała wówczas miłość i radość.

Nie mów sobie:

„Narzekania mojego dziecka psują obiad pozostałym biesiadnikom"

Trwając w przekonaniu, że nie radzisz sobie z zachowaniem dziecka, utrudniasz sobie jedynie zadanie, a przy tym nie uczysz go, jak dobrze się bawić podczas rodzinnych posiłków. Pamiętaj: same z siebie wszystkie wydarzenia są neutralne; obiad staje się „zepsuty" jedynie wówczas, gdy ty postanowisz w ten sposób o nim myśleć.

Zamiast tego powiedz sobie:

„Mimo że jestem zmęczona po całym dniu pracy, wspólny obiad jest bardzo ważny"

Utwierdź się w przekonaniu, jak duże znaczenie dla rozwoju twego dziecka mają rodzinne posiłki. Nawet jeśli podczas obiadu panuje chaos, hałas i szaleństwo, podczas gdy tobie bardziej przydałoby się trochę spokoju po pracowitym dniu, wzmacnianie więzi rodzinnych jest niezwykle istotne.

Dialog z dzieckiem

Nie gróź. Nie mów:

„Jeśli nie zostaniesz przy stole, będziesz musiał iść do łóżka. Tego chyba nie chcesz, prawda?"

Jeśli będziesz straszyć dziecko izolacją za to, że chce odejść od stołu i pobawić się, nie nauczysz go, jak czerpać z rodzinnych posiłków przyjemność. Może mu także wpaść do głowy, by sprawdzić, czy przypadkiem nie blefujesz: „A co, jeśli nie zostanę przy stole? Czy zrobi to, czym grozi?".

Zamiast tego chwal posłuszne zachowanie:

„Dziękuję ci, że tak grzecznie siedzisz przy stole. Uwielbiamy twoje towarzystwo"

Każdy chce być doceniony. Chwaląc cierpliwość twojego dziecka, nawet jedynie przelotną, zachęcisz je, by następnym razem wytrzymało jeszcze dłużej.

Nie zmuszaj. Nie mów:

„Zostaniesz przy stole, aż opróżnisz ten talerz"

Zmuszając dziecko do opróżnienia talerza, uczysz je, by nie przestawało jeść, gdy czuje się syte. Może to skutkować zaburzeniami odżywiania oraz otyłością. Twym celem jest przyzwyczajenie swej pociechy, by reagowała na sygnały własnego organizmu – jednym z takich sygnałów jest głód lub jego brak, zatem nie zmuszaj dziecka do przejadania się.

Zamiast tego zaproponuj grę. Powiedz:

„Zagrajmy w »dobry dzień«. Każdy z nas opowie o czymś dobrym, co mu się dziś przydarzyło"

Zachęć dziecko do pozostania przy stole, prosząc, by opowiedziało o czymś przyjemnym, co się tego dnia wydarzyło. Nie tylko z pewnością chętnie opowie swoje historie, ale z zaciekawieniem posłucha innych.

Nie przekupuj. Nie mów:

„Jeśli zostaniesz przy stole jeszcze trochę, dostaniesz lody"

Dając dziecku nagrodę za wykonanie czegoś, o co je prosisz, uczysz je, że współpraca ma swoją cenę.

Zamiast tego przypomnij mu o regule. Powiedz:

„Wiem, że chcesz już wstać od stołu, ale reguła mówi, że możesz to zrobić dopiero wtedy, gdy zadzwoni budzik"

Okazując dziecku empatię i wsparcie, a jednocześnie stanowczo przypominając o obowiązującej zasadzie, zwiększysz jego wytrwałość oraz pomożesz mu zrozumieć, że reguły pomagają nam funkcjonować w otaczającym nas świecie.

ROZDZIAŁ 19

„Proszę, używaj widelca (albo łyżki)" „Nie! Nie chcę używać widelca!"

„Po co używać widelca, jeśli palce całkowicie wystarczą?"; „Po co używać serwetki, jeśli mam rękaw?" – oto tok rozumowania trzylatka, którego stosowne zachowanie przy stole obchodzi dużo mniej niż ciebie. Daj przykład dobrych manier przy stole i zachęcaj dziecko, by postępowało tak jak ty, a pewnego dnia będzie mogło jadać nawet z królami!

Przydatne wskazówki

- Ustal zasady regulujące zachowanie przy stole i chwal dziecko, gdy będzie ich przestrzegać.
- Dawaj przykład właściwego zachowania i zwracaj uwagę dziecka na to, co robisz. Mów na przykład: „Kładę serwetkę na kolanach i podnoszę widelec".
- Nie podawaj zbyt często potraw, które można jeść rękami (burgery, frytki, pizza itp.), tak by dziecko mogło ćwiczyć używanie widelca i łyżki.
- Niech twoje dziecko raz na jakiś czas nakrywa do stołu. Rozmawiaj z nim również o zastosowaniu serwetek i innych nakryć.

Dialog ze sobą

Nie mów sobie:

„Nigdy się nie nauczy używać widelca, wiec równie dobrze mogę odpuścić"

Nie popadaj w nastrój bezsilności i beznadziei. W ten sposób nie nauczysz dziecka zachowania przy stole, natomiast każde przypomnienie mu o regule będzie dla ciebie kolejnym źródłem frustracji.

Zamiast tego powiedz sobie:

„Muszę zachować spokój i dalej uczyć dziecko, jak należy się zachowywać przy stole"

Podchodź do sprawy z dystansem i nie traktuj jej jak wielkiego problemu – twoja cierpliwość wcześniej czy później zaowocuje dobrym efektem. Dziecko będzie odczuwało większą motywację do nauki dobrych manier wiedząc, że szanujesz je nawet wówczas, gdy nie są one doskonałe.

Nie mów sobie:

„Gdy jest u ojca, on nie wymaga od niej dobrych manier, więc u mnie też nie chce się do nich stosować. Chyba oszaleję!"

Nie obarczaj swego dziecka lub jego drugiego rodzica odpowiedzialnością za twoje uczucia. Panuj nad nimi, sama decydując, jak reagować.

Zamiast tego powiedz sobie:

„Jedynie u siebie mogę ją nauczyć dobrych manier. Nie mam wpływu na to, co się dzieje gdzie indziej"

Skoncentruj się na tym, co twoje dziecko robi w twoim domu – w ten sposób poczujesz, że panujesz nad sytuacją.

Nie mów sobie:

„Nie cierpię bałaganu, który robi moje dziecko, gdy je jak prosię"

Nie użalaj się nad sobą, ponieważ musisz posprzątać po dziecku. Małe dzieci czasem bałaganią, a czyszczenie po nich jest częścią twoich obowiązków. Godząc się na to od czasu do czasu, zmniejszysz swój stres i ułatwisz sobie zadanie nauczenie swego malca, jak zachowywać się przy stole.

Zamiast tego powiedz sobie:

„Nie muszę się czuć winna tylko dlatego, że moje dziecko nie chce się dobrze zachowywać przy stole"

Dzieci nie rodzą się z dobrymi manierami; nauka wymaga czasu i cierpliwości.

Dialog z dzieckiem

Nie gróź. Nie mów:

„Jeśli jeszcze raz będziesz jeść palcami, dostaniesz klapsa. Bierz widelec, ale już!"

Nigdy nie gróź dziecku przemocą fizyczną. Jeśli to zrobisz, nauczysz dziecko jedynie tego, że jesteś większa, silniejsza i że jesteś gotowa sprawić mu ból, by nakłonić je do wykonywania poleceń. Przemoc nie jest konieczna, by nauczyć właściwego zachowania.

Zamiast tego przypomnij o regule. Powiedz:

„Co reguła mówi o jedzeniu widelcem zamiast palcami? Przecież wiem, że chcesz się stosować do reguł"

Oczekuj od swego dziecka przestrzegania reguły, ale jednocześnie daj mu znać, że jesteś po jego stronie. Bądź jego wychowawcą, nie dyktatorem.

Nie zrzędź. Nie mów:

„Ile razy mam ci powtarzać, żebyś nie jadł palcami?"

Takie ciągłe przypominanie może sprawić na dziecku wrażenie, że jest w jakiś sposób upośledzone umysłowo, a poza tym podkreśla ono to, czego *nie powinno* robić, a nie to, co powinno. Skup się więc na tym, co pozytywne, by móc zachęcać dziecko do zachowania, jakiego od niego oczekujesz.

Zamiast tego okaż wsparcie. Powiedz:

„Wiem, że niełatwo nauczyć się jeść widelcem. Pamiętasz, jak się trzyma ołówek? Widelec trzyma się podobnie. Spróbujmy jeszcze raz"

Subtelne wskazówki pomagają dziecku uczyć się trudnych umiejętności oraz zachęcają je do cierpliwości.

Nie upokarzaj. Nie mów:

„Jedzenie na brodzie wygląda obrzydliwie. Aż mi się nie chce na ciebie patrzeć"

Nie sugeruj, że akceptujesz swoje dziecko jedynie wtedy, gdy robi, co mu karzesz. W ten sposób wysyłasz sygnał, że twoja miłość nie jest bezwarunkowa – że zniknie, jeśli malec nie będzie się zachowywać, jak tego od niego oczekujesz.

Zamiast tego chwal współpracę. Powiedz:

„Dziękuję, że pamiętałeś, by użyć serwetki. To świadczy o twoich dobrych manierach"

Chwaląc dziecko, gdy zachowuje się właściwie, pokazujesz mu, że dobre maniery są ważne, i zachęcasz je do dalszego ich przestrzegania. Każdy jest zmotywowany do współpracy, jeśli spotyka się to z pochwałą.

Nie przekupuj. Nie mów:

„Jeśli będziesz jeść widelcem, na deser dostaniesz lody"

Zachęcając dziecko do przestrzegania dobrych manier przekupstwem, nie nauczysz go, by stosowało je dlatego, że tak należy. Zachęcisz je natomiast do tego, by w zamian za współpracę oczekiwało nagrody.

Zamiast tego zaproponuj umowę. Powiedz:

„Jeśli będziesz używać noża, będziesz mógł zostać przy stole. Inaczej obiad się skończy i będziesz musiał iść do siebie"

W powyższym przypadku Reguła Babuni nie tylko podkreśla znaczenie dobrych manier, ale również daje dziecku wybór między właściwym zachowaniem i zakończeniem posiłku.

ROZDZIAŁ 20

„Jedz, co masz na talerzu" „Nie! Nie chcę tego jeść!"

Czas posiłku bywa bardzo stresujący, jeśli priorytety dziecka pozostają w konflikcie z priorytetami rodziców. Nie pozwól, by preferencje żywieniowe twej pociechy były przyczyną wojny między wami. Pamiętaj, że zdrowe dzieci jedzą, gdy są głodne i przestają jeść, gdy się nasycą. Jeśli martwi cię ilość lub jakość jedzenia, które spożywa dziecko, przez kilka tygodni prowadź jego dziennik odżywiania, notując kiedy, gdzie i co malec je. Ta wiedza pomoże tobie oraz twojemu lekarzowi w ocenie sytuacji.

Przydatne wskazówki

- Nie wmuszaj w dziecko dużego posiłku, gdy nie jest głodne, np. niedługo po zjedzeniu przekąski lub napiciu się czegoś.
- To naturalne, że dzieci mają mniejszą ochotę współpracować, gdy są głodne lub zmęczone. Weź pod uwagę, że twoja pociecha może być marudna, gdy nie chce zjeść tego, co mu podajesz.
- Zapoznaj się z zalecanymi normami żywieniowymi dla dzieci. Skontaktuj się z Instytutem Żywności i Żywienia, bądź zajrzyj na jego stronę: www.izz.waw.pl.

Dialog ze sobą

Nie mów sobie:

„Jeśli nie będzie jadło, umrze"

Nie dramatyzuj, wyolbrzymiając konsekwencje swskazówkicznej odmowy twojego dziecka. Nie zyskasz tym niczego poza własną frustracją. Jednakże jeśli malec zacznie całkowicie odmawiać jedzenia lub drastycznie zmieni swe nawyki żywieniowe, skonsultuj się z lekarzem.

Zamiast tego powiedz sobie:

„Moje dziecko nie umrze z głodu, jeśli raz nie zje obiadu, albo czasem zostawi na talerzu warzywa"

Musisz zrozumieć, że odmówienie zjedzenia posiłku raz na jakiś czas nie wpłynie negatywnie na zdrowie twojego dziecka. Gdy podejdziesz spokojnie do kwestii jego zwyczajów żywieniowych, łatwiej będzie ci wymyślić skuteczne sposoby przekonania go do warzyw i innych produktów.

Nie mów sobie:

„Oczekuję od mojego dziecka, że będzie opróżniało talerz, tak jak ja musiałam to robić, gdy byłam w jego wieku"

Zmuszanie dziecka do jedzenia, gdy czuje się już syte, może zwiększyć ryzyko wystąpienia u niego zaburzeń żywieniowych oraz otyłości.

Zamiast tego powiedz sobie:

„Pusty talerz nie jest najważniejszy. Naprawdę ważne jest to, by moje dziecku dobrze się czuło podczas posiłku"

Spokojna, pełna zrozumienia atmosfera przy stole sprawi, że posiłki staną się dla wszystkich przyjemnym, krzepiącym przeżyciem.

Nie mów sobie:

„Czuję się zawiedziona gdy moje dziecko nie chce jeść tego, co przygotowuję"

Rozbrój tę starą rodzicielską bombę raz na zawsze! Niczego nie rozwiążesz, odbierając całą sytuację osobiście.

Zamiast tego powiedz sobie:

„To, że moje dziecko odmawia jedzenia, nie ma ze mną nic wspólnego"

Dziecko odrzuca jedzenie, nie ciebie. Rozróżnienie tych dwóch rzeczy jest konieczne, byś mogła nauczyć je zdrowego podejścia do odżywiania się.

Dialog z dzieckiem

Nie wymagaj. Nie mów:

„Będziesz tu siedzieć tak długo, aż sprzątniesz wszystko z talerza"

Zmuszanie twej pociechy do dalszego jedzenia, mimo że czuje się syta, może prowadzić do przejadania się, a w konsekwencji – do otyłości. Podobnie jak w przypadku innych zachowań dziecka, chęć sprawowania kontroli nad jego zwyczajami żywieniowymi jest skazana na niepowodzenie.

Zamiast tego daj wybór. Powiedz:

„Widzę, że już się najadłeś. Możesz odejść od stołu i pójść się bawić, albo zostać i porozmawiać z nami, gdy będziemy kończyć jedzenie"

Kiedy dziecko zaczyna się bawić jedzeniem, najprawdopodobniej już się najadło. Zabierając mu talerz lub pozwalając, by odeszło od stołu, unikniesz zaognienia się sytuacji.

Nie wzbudzaj poczucia winy. Nie mów:

„Kochanie, wiesz, że mamusia się namęczyła, żeby przygotować obiad, więc proszę cię, zjedz, co przygotowałam"

Łącząc jedzenie z miłością jesteś na prostej drodze do wywołania u swego dziecka zaburzeń żywieniowych. Nie zachęcaj go, by myślało: „Jeśli nie zjem tego, co mamusia przygotowała, pomyśli, że jej nie kocham".

Zamiast tego promuj porozumiewanie się. Powiedz:

„Gdy skończysz jeść, powiedz: »Skończyłem«. Wtedy pomogę ci odejść od stołu"

Zachęcając dziecko do informowania cię, gdy skończy jeść, dajesz mu niezbędne dla niego poczucie kontroli nad własnym światem.

Nie zapędzaj dziecka pod ścianę. Nie mów:

„Szkoda, że nie smakuje ci to, co jemy. Możesz zjeść albo odejść od stołu. Jeśli odejdziesz, nie chcę słyszeć narzekania, że jesteś głodna – nic innego nie dostaniesz"

Twój brak empatii pokaże dziecku, że nie obchodzą cię jego uczucia, a to jedynie podsyci jego gniew i bunt.

Zamiast tego okaż empatię. Powiedz:

„Przykro mi, że nie chcesz jeść tego co my. Gusta czasem się zmieniają, dlatego chciałabym, żebyś tego spróbowała – być może tym razem będzie ci smakować"

Okazując dziecku zrozumienie, możesz je zachęcić do spróbowania czegoś, co wcześniej mu nie smakowało. Dzięki temu być może spróbuje również nowych potraw, które inaczej odrzuciłoby na podstawie samego tylko wyglądu.

CZĘŚĆ IV

DOBRE WYCHOWANIE

Strzeż w sobie ten skarb, życzliwość.
Wiedz, jak dawać bez wahania, jak tracić bez żalu,
jak przyjmować bez podłości.

—George Sand

ROZDZIAŁ 21

„Pozwól bratu obejrzeć program”
„Nie! Chcę oglądać swój program!”

Bitwy o pilota do telewizora mogą się zacząć bardzo wcześnie. Ponieważ twój pięciolatek zapewne rozumie już jaką władzę daje kontrola nad tym małym urządzeniem, ustal zasady regulujące to, jakie programy wolno mu oglądać, jakich nie – oraz kiedy może oglądać telewizję.

Przydatne wskazówki

- Zwracaj uwagę na swoje własne zachowanie, gdy dzielisz się pilotem i innymi urządzeniami służącymi rozrywce. Dzieci będą naśladować twój przykład.
- Ograniczaj własne oglądanie telewizji, by dziecko z twojego zachowania nie wyciągnęło wniosku, że spędzanie wielu godzin przed telewizorem jest rzeczą normalną.

Dialog ze sobą

Nie mów sobie:

„Chce mi się krzyczeć, gdy moje dzieci biją się o pilota"

Wmawiając sobie, że jesteś u kresu wytrzymałości, ograniczasz swoją zdolność radzenia sobie z rywalizacją rodzeństwa.

Zamiast tego powiedz sobie:

„Wykorzystam tę sytuację, by nauczyć moje dzieci, jak współżyć w harmonii"

Szukając szans na nauczenie dzieci czegoś pożytecznego w konfliktach między nimi, skoncentrujesz się na roli wychowawcy twoich pociech.

Nie mów sobie:

„Dlaczego nie potrafią się dzielić i żyć w zgodzie. Nie powinnam była decydować się na dwoje dzieci"

Nie obwiniaj się za to, że twoje dzieci kłócą się o wspólną przestrzeń i własność.

Zamiast tego powiedz sobie:

„To naturalne, że dzieci nie zawsze we wszystkim się zgadzają"

Liczne konflikty między rodzeństwem to zwykły element życia rodzinnego. Gdy zaakceptujesz ten fakt, będziesz w stanie spokojnie reagować na zachowanie twoich dzieci, nie odnosząc go niepotrzebnie do swojej osoby. W bezpiecznym, pełnym ciepła środowisku, w którym każdy jest ceniony i szanowany, twoje pociechy łatwiej nauczą się, jak zażegnywać nieporozumienia.

Nie mów sobie:

„Jaka ona jest samolubna. Nie znoszę samolubnych dzieci!"

Przypinając dziecku etykietkę samolubstwa, czynisz z tej cechy integralną część jego osobowości, co może cię zniechęcić do dalszego uczenia go współpracy.

Zamiast tego powiedz sobie:

„Moim zadaniem jest nauczyć dziecko pracy w zespole"

Lekcje współpracy i osiągania kompromisu wyzwolą w twym dziecku jego naturalne skłonności do dzielenia się i odczuwania empatii.

Dialog z dzieckiem

Nie poddawaj się. Nie mów:

„No dobrze, chyba faktycznie tym razem jest twoja kolej. Zmień kanał, jeśli chcesz"

Poddając się, nie nauczysz dziecka, by współpracowało i dzieliło się z innymi. Dowie się ono jedynie, że jeśli będzie dostatecznie mocno naciskać, dostanie to, czego pragnie i postawi na swoim. Jeśli w walce o telewizor bierze udział jeszcze jedno dziecko, poczuje, że potraktowane zostało niesprawiedliwie, a w konsekwencji obudzi to w nim gniew skierowany przeciwko tobie.

Zamiast tego zaproponuj umowę. Powiedz:

„Jeśli będziecie oglądać swoje programy na zmianę, możecie zostać przy telewizorze. Inaczej będę go musiała wyłączyć"

Reguła Babuni, która mówi, że obowiązek ma pierwszeństwo przed przyjemnością, zachęci twoje dzieci do dzielenia się, gdy dostrzegą długofalową korzyść płynącą z kompromisu.

Nie zawstydzaj. Nie mów:

„Ale ty jesteś samolubny! Dlaczego nie podzielisz się z bratem?"

Mówiąc dziecku, że jest samolubne, sugerujesz, że jest to jego wrodzona wada charakteru. Malec odczyta to jako zezwolenie na dalsze samolubne zachowanie, ponieważ nie będzie się czuł winny.

Zamiast tego przypomnij o regule. Powiedz:

„Co mówi zasada o dzieleniu się pilotem?"

Gdy prosisz dziecko, by wyrecytowało regułę, upewniasz się, że ją zna, a jednocześnie przypominasz mu, że musi się do niej stosować. Ustaliwszy, że to reguła jest odpowiedzialna za pewien ład możesz opowiedzieć się po stronie dziecka, zachęcając do jej przestrzegania.

Nie przekupuj. Nie mów:

„Jeśli podzielisz się pilotem z bratem, dostaniesz cukierka"

Przekupstwem uczysz dziecko, że za współpracę może dostać nagrodę – a zatem: że powinno opierać się tak długo, aż mu ją zaproponujesz.

Zamiast tego dawaj dobry przykład. Powiedz:

„Popatrz jak mama i tata dzielą się telewizorem. Kiedy oboje chcemy coś oglądać, robimy to na zmianę. Mam nadzieję, że wy też będziecie się umieli tak dzielić"

Dając przykład właściwego zachowania, pomagasz dziecku nauczyć się dzielenia. Jeśli dołączysz do tego słowa i gesty związane z dzieleniem się (uśmiech, mówienie „poproszę", „dziękuję" itp.), zachęcisz dziecko, by je naśladowało.

Nie praw morałów. Nie mów:

„Teraz raz na zawsze wyjaśnię ci, dlaczego trzeba się dzielić telewizorem. Słuchaj!"

Takie wykłady jedynie zniechęcają dziecko do słuchania, gdyż potrafi ono skupić uwagę jedynie na krótki czas. Najprawdopodobniej dobrze zna regułę, ale ponieważ nie zrobiłaś nic, by jej przestrzegać, sądzi, że nie musi jej traktować poważnie.

Zamiast tego przedstaw konsekwencje. Powiedz:

„Przykro mi, że nie chciałeś się podzielić pilotem. Będę teraz musiała wyłączyć telewizor"

Okaż dziecku empatię, jednakże nie cofaj się przed konsekwencjami, gdy nie przestrzega ono reguł. Powiedz, że przykro ci, iż dokonało niewłaściwych decyzji, ale mówiłaś poważnie. W ten sposób wzmocnisz swą wiarygodność oraz zwiększysz szansę na to, że następnym razem dokona właściwego wyboru.

ROZDZIAŁ 22

„Powiedz »dziękuję«"
„Nie! Nie chcę mówić »dziękuję«!"

Wielu rodziców krzywi się, gdy ich trzyletnie dziecko odmawia podziękowania, gdy jego kolega daje mu prezent urodzinowy lub gdy babcia proponuje ciasteczko. Twoim zadaniem jest nauczenie malca dobrych manier; zadaniem dziecka jest ćwiczenie ich, aż staną się odruchem. Ucząc dziecko odnoszenia się do innych z szacunkiem i grzecznością, sama dawaj dobry przykład takiego zachowania. By zachęcić dziecko do grzecznego zachowania w świecie, który często cechuje całkowity brak grzeczności, proś je o recytowanie zasad dobrego wychowania i chwal je, gdy ich przestrzega.

Przydatne wskazówki

- Dając przykład dobrego wychowania, nie tylko uczysz dziecko, jak powinno postępować, ale również potwierdzasz znaczenie takiego zachowania.
- Ustalone przez ciebie zasady dotyczące dobrych manier będą stanowiły dla dziecka pozytywne wzorce, które będzie mogło stosować w kontaktach z innymi ludźmi.

Dialog ze sobą

Nie mów sobie:

„Jest takim niegrzecznym dzieckiem. Boję się, że nikt go nie polubi"

Nie uznawaj swego dziecka za niegrzeczne tylko dlatego, że jeszcze nie nauczyło się zasad dobrego wychowania. Po prostu nie ustawaj w zachętach do właściwego zachowania oraz staraj się dawać dobry przykład, gdy tylko nadarzy się okazja.

Zamiast tego powiedz sobie:

„To, że zapomina mówić »proszę« i »dziękuję«, nie znaczy, że wyrośnie na źle wychowanego człowieka}"

Zrozum, że twoje dziecko jest jeszcze małe i wciąż pobiera ważne lekcje życia. Myśl pozytywnie o przyszłości i nie zakładaj, że w wieku 23 lat będzie się zachowywało tak samo, jak teraz, gdy ma 3 lata.

Nie mów sobie:

„Nigdy nie nauczy się mówić »proszę« i »dziękuję« tak jak inne dzieci"

O ile nie kierujesz się tabelami wzrostu, porównywanie dziecka do innych dzieci może być niebezpieczne. Wyolbrzymianie braku dobrych manier u dziecka poprzez wmawianie sobie, że *nigdy* się ich nie nauczy – oraz odczuwanie z tego powodu wstydu przed innymi – to całkowicie bezproduktywne sposoby radzenia sobie z problemem.

Zamiast tego powiedz sobie:

„To, że moje dziecko odmawia grzecznego zachowania, oznacza, że muszę z nim jeszcze popracować"

Twoją rolą jako rodzica i wychowawcy jest pomóc dziecku w nauczeniu się dobrych manier. Jeśli nie chce się do nich stosować, musisz się dowiedzieć, jakie myśli i uczucia wpływają na takie jego zachowanie.

Nie mów sobie:

„Tak mi wstyd, gdy jest niegrzeczny. Ile razy muszę mu powtarzać, żeby mówił sąsiadom »dzień dobry«?"

Wmawiając sobie, że brak dobrych manier dziecka przynosi ci wstyd, zwiększysz jedynie w sobie poczucie winy oraz utrudnisz zadanie znalezienia skutecznych metod nauczenia malca, jak się zachowywać. Wstydzisz się, ponieważ wierzysz, że jego niekulturalne zachowanie przedstawia cię w złym świetle jako rodzica. Pamiętaj jednak, że możesz swe dziecko jedynie *nauczyć* reguł dobrego zachowanie – ostatecznie to jedynie od niego zależy, czy będzie się do nich stosować.

Zamiast tego powiedz sobie:

„Inni rodzice doskonale rozumieją, że przedszkolakom trudno jest pamiętać o mówieniu »proszę« i »dziękuję«"

Pamiętaj, że twoje doświadczenia nie są wyjątkowe. Niech uspokoi cię fakt, że nauczenie dziecka kulturalnego zachowania jest ciężkim wyzwaniem dla każdego rodzica. Nie przestawaj też przypominać swej pociesze, że grzecznym zachowaniem zwróci na siebie życzliwą uwagę przyjaciół i rodziny.

Rozmowa z dzieckiem

Nie oceniaj. Nie mów:

„Dlaczego jesteś taki niekulturalny?"

Po pierwsze, dziecko może w ogóle nie mieć pojęcia, co to znaczy być „niekulturalnym". Jeśli zaś wie, określanie go w ten sposób sprawi, że uzna tę cechę za stały, niezmienny element swej osobowości.

Zamiast tego stosuj pochwały. Powiedz:

„To było bardzo grzeczne z twojej strony, że powiedziałeś do kolegi »dziękuję«. Na pewno było mu bardzo miło"

Chwaląc kulturalne zachowanie dziecka, zwiększasz szansę na to, że będzie ono chciało je powtórzyć. Nie zapominaj, by zaznaczyć, jak wdzięczni są ludzie za okazywanie im dobrych manier.

Nie wzbudzaj poczucia winy. Nie mów:

„Było mi wstyd, gdy nie powiedziałeś pani Nowak »dzień dobry«. Co ja mam z tobą począć?"

Nie mów dziecku, że przynosi ci wstyd. Wyciągnie z tego wniosek, iż jest odpowiedzialne za twoje uczucia.

Zamiast tego ćwicz z dzieckiem. Powiedz:

„Co mówimy, gdy ktoś nam coś daje? Poćwiczmy to, zanim pójdziemy do babci. Babcia zawsze daje ci ciasteczka i bardzo lubi, gdy za nie dziękujesz"

Przez zapytanie o zasadę i przećwiczenie jej zawczasu, odświeżasz ją w pamięci dziecka, zwiększając tym samym szansę, że zastosuje ją we właściwym momencie.

Nie groź. Nie mów:

„Jeśli nie podziękujesz babci za ciasteczka, dostaniesz klapsa i pójdziesz do drugiego pokoju. Pamiętaj o tym"

Grożąc przemocą fizyczną i odosobnieniem, nie nauczysz dziecka stosować zasad dobrego wychowania. Pokażesz mu jedynie, że jesteś od niego większa i silniejsza, i że jesteś gotowa zastraszać ludzi, by robili to, czego od nich oczekujesz.

Zamiast tego zaproponuj umowę. Powiedz:

„Możesz dostać ciasteczko, jeśli powiesz »proszę«"

Ta najbardziej podstawowa wersja Reguły Babuni mówi twemu dziecku, że może otrzymać to, czego chce, jeśli będzie przestrzegać zasad dobrego wychowania.

ROZDZIAŁ 23

„Bądź cicho" „Nie! Nie chcę być cicho!"

Ciekawskie dwulatki słyną z wystawiania cierpliwości rodziców na próbę, gdy ci mówią im, by były cicho. Czasem wykorzystują nawet tę szansę do tego, by zobaczyć, co się stanie, gdy zaczną zachowywać się jeszcze głośniej! Naucz dziecko zasad dotyczących cichego zachowania ćwicząc je w domu, zanim będzie to faktycznie potrzebne w kościele, bibliotece itp. Powiedz mu, że głos ścisza się z szacunku dla innych – ta lekcja empatii obróci potencjalnie wybuchową sytuację w okazję do nauki. Dziecko poczuje się zmotywowane, ponieważ dba o uczucia innych osób.

Przydatne wskazówki

- Używaj porównań do zwierząt, by ułatwić dziecku zapamiętanie, gdzie i kiedy wolno mu używać innego tonu głosu. Powiedz mu na przykład, żeby w kościele było „cicho jak myszka", natomiast żeby na meczu „ryczało jak lew".
- Jeśli twoje dziecko zawsze mówi głośno, wybierz się z nim na kontrolę słuchu, by upewnić się, że nie problemów w tym względzie.
- Zanim zabierzesz dziecko na uroczystość, która wymaga od niego spokoju, zastanów się, czy jest już w stanie zrozumieć i docenić tę uroczystość.

Dialog ze sobą

Nie mów sobie:

„Muszę zmusić moje dziecko, by było cicho, wtedy gdy sytuacja tego wymaga"

Zrozum, że nie możesz dziecka do niczego *zmusić*. Możesz jedynie nauczyć je niezbędnych umiejętności i skłaniać do ich stosowania, kiedy tylko zachodzi możliwość.

Zamiast tego powiedz sobie:

„To nic, że nie zawsze, gdy jesteśmy w kościele, pamięta, by być cicho. Będziemy nad tym pracować, aż się tego nauczy"

Nauczenie dziecka właściwego zachowania zajmuje sporo czasu. Bądź gotowa pracować nad jedną kwestią tak długo, jak będzie to konieczne.

Nie mów sobie:

„Nie będę jej już nigdzie zabierać, ponieważ tak głośno się zachowuje"

Taka przesadna reakcja z twojej strony świadczy o tym, iż skupiasz się na głośnym zachowaniu dziecka zamiast na poszukiwaniu metody nauczenia go, by zachowywało się cicho.

Zamiast tego powiedz sobie:

„To, że zachowuje się głośno, wcale nie znaczy, że nie będzie się potrafiła nauczyć zachowywać cicho"

Nie jesteś w stanie kontrolować zachowania swojego dziecka, dlatego nie czuj się winna czy zawstydzona, gdy popełni błąd lub zapomni o obowiązującej regule. Nie trać głowy i po prostu przypomnij mu, jak powinno się zachowywać.

Nie mów sobie:

„Jeśli komuś się nie podoba, że moje dziecko zachowuje się głośno w kinie, może się przesiąść"

Nie zakładaj, że inni powinni sobie poradzić z głośnym zachowaniem twojego dziecka w kinie czy restauracji. W ten sposób dajesz dziecku przykład braku szacunku dla innych ludzi oraz nie uczysz go, by zachowywać się cicho.

Zamiast tego powiedz sobie:

„Być może moje dziecko nie rozumie zasady, bo jej dostatecznie nie przećwiczyło"

Jeśli nie bywałaś z dzieckiem w miejscach wymagających ciszy, takich jak kościół czy biblioteka, zabierz je w te miejsca, by wytłumaczyć mu, kiedy i dlaczego powinno się tam zachowywać cicho.

Dialog z dzieckiem

Nie zawstydzaj. Nie mów:

„Co z tobą? Nie masz ani odrobiny szacunku dla innych ludzi?"

Sugerując, że twoje dziecko jest obojętne i nieczułe, nie pokażesz mu, jak zachowywać się kulturalnie. Gdy nie okazujesz mu szacunku, nie możesz oczekiwać, że nauczy się szanować innych – przeciwnie: twoja reakcja będzie dla niego przyzwoleniem do dalszego egoistycznego zachowania.

Zamiast tego przypomnij o regule. Powiedz:

„Szkoda, że zapomniałeś, że w bibliotece musimy się zachowywać cicho. Jestem pewna, że następnym razem będziesz o tym pamiętał"

Gdy okazujesz empatię, dajesz dziecku do zrozumienia, że rozumiesz, co czuje, lecz reguła wciąż obowiązuje. Przypominając o odpowiedniej zasadzie, uczysz dziecko właściwego zachowania, nie robiąc mu przy tym przykrości. Ważne, by rozumiało, że *ono* wciąż jest w porządku – to jego *zachowanie* jest niewłaściwe.

Nie groź. Nie mów:

„Zamknij się! Jeśli nie zaczniesz być cicho, dostaniesz lanie!"

Nigdy nie krzywdź dziecka fizycznie ani słownie. Takimi słowami i czynami nie tylko dajesz malcowi przykład zachowania, którego nie chciałabyś go nauczyć, ale pokazujesz mu, że groźby są dozwoloną metodą nakłaniania innych osób, by zrobiły to, czego się od nich oczekuje.

Zamiast tego ćwicz z dzieckiem. Powiedz:

„Zanim pójdziemy do biblioteki, poćwiczmy przez chwilę ciche mówienie. Wiesz przecież, że w bibliotece obowiązuje reguła cichego zachowania"

Ćwiczenie to dobry sposób, by upewnić się, że dziecko rozumie zasadę. Zadbaj o to, by takie „treningi" były dla twej pociechy przyjemnością, uśmiechaj się, gdy mówi cicho i mów jej, jak bardzo ci się to podoba.

Nie przekupuj. Nie mów:

„Dam ci cukierka, jeśli zamiast mówić głośno, będziesz szeptać"

Jeśli uciekniesz się do przekupstwa, nie nauczysz dziecka, by zachowało się kulturalnie z szacunku dla innych. Będzie to robiło jedynie dla nagrody.

Zamiast tego zaproponuj umowę. Powiedz:

„Jeśli zastosujesz się do reguły cichego głosu, będziemy mogli zostać i oglądać film. Inaczej będziemy musieli wyjść"

Stosuj Regułę Babuni, by nauczyć dziecko, że może dokonywać wyborów oraz że te wybory niosą za sobą określone konsekwencje, pozytywne lub negatywne. Gdy zezwalasz mu na podjęcie decyzji, malec czuje się panem sytuacji, a przy tym ćwiczy się w podejmowaniu decyzji. Uczy się również, że współpraca z tobą owocuje otrzymaniem tego, czego pragnie.

Nie upokarzaj. Nie mów:

„Bądź cicho, nikt nie lubi krzykaczy"

Nie mów dziecku, że nie będzie lubiane, bo mówi głośno. Nie tylko nie nauczysz go w ten sposób kulturalnego zachowania, ale sprawisz, że poczuje się odrzucone.

Zamiast tego chwal współpracę. Powiedz:

„Dziękuję, że mówisz cicho. Tak ładnie stosujesz się do reguły cichego głosu"

Chwaląc dziecko za przestrzeganie reguły, nie tylko przypominasz mu o jej istnieniu, ale także zachęcasz do dalszego cichego zachowania. Dzieci chętnie współpracują z ludźmi, których darzą zaufaniem i szacunkiem – i przez których same są szanowane.

Nie zrzędź. Nie mów:

„Już trzy razy prosiłam cię, żebyś była cicho. Ile ci jeszcze potrzeba?"

Zrzędzeniem nie nauczysz dziecka, że z szacunku dla innych należy się zachowywać cicho. Okazujesz jedynie desperację, którą nie możesz niczego osiągnąć.

Zamiast tego przypomnij o regule. Powiedz:

„Idziemy dziś rano do kościoła. Jak brzmi reguła o cichym zachowaniu w kościele?"

Prosząc o wyrecytowanie reguły, delikatnie przypominasz dziecku, jak powinno się zachowywać w kościele. Gdy samo wyjaśnia zasadę, czuje, że panuje nad sytuacją, i jest zmotywowane, by jej przestrzegać.

ROZDZIAŁ 24

„Siadaj tutaj" „Nie! Nie chcę tam siedzieć!"

Gdy pięcioletnie dziecko kłóci się z tobą o to, gdzie usiąść w kinie, przy stole czy w samochodzie, pokazuje ci, że jest normalnym, zdrowym dzieckiem, które chce panować nad tym, co robi. Traktuj jego zachowanie jako pozytywny znak, że twój malec chce sam dokonywać wyborów. Zatem pozwól mu na to – oczywiście w odpowiednich granicach – by mógł się ćwiczyć w umiejętności, która będzie mu potrzebna przez całe życie.

Przydatne wskazówki

- Opracuj tabelkę ze schematem miejsc w samochodzie, przy stole i w innych miejscach, w których twoja pociecha zwykle się o to kłóci. W ten sposób nauczysz ją demokratycznego podejmowania decyzji. Omówicie kwestię zawczasu, tak by uniknąć awantur.

Dialog ze sobą

Nie mów sobie:

„Jakie to głupie, że robi mu różnicę, gdzie siedzi"

Nie lekceważ dziecięcego pragnienia podejmowania suwerennych decyzji. W ten sposób malec określa swą tożsamość, zatem wspieraj go w tym.

Zamiast tego powiedz sobie:

„To, gdzie siedzimy, może nie być istotne dla mnie, ale najwyraźniej jest istotne dla mojego dziecka i muszę to uszanować"

Wczuwając się w sytuację dziecka, sprawisz, że sytuacja nie przerodzi się w poważny konflikt. Podejście pełne troski i szacunku pomoże ci spokojnie i cierpliwie pracować nad zyskaniem jego woli współpracy.

Nie mów sobie:

„Ale mnie to rozwściecza, gdy złości się o takie drobiazgi"

Dajesz dziecku przykład, sama złoszcząc się o nieistotne drobiazgi.

Zamiast tego powiedz sobie:

„Nie muszę się złościć dlatego, że moje dziecko pragnie panować nad tym, co robi. To naturalne w wieku przedszkolnym"

Zrozum, na jakim etapie rozwoju znajduje się twoje dziecko. W tym wieku potrzebuje wyrażać swoje opinie i pragnienia, wspieraj zatem jego rodzącą się niezależność!

Nie mów sobie:

„Niech siada tam, gdzie mu każę – to ja jestem tu rodzicem"

Nie przyjmuj roli dyktatora. Takim nastawieniem nauczysz dziecko, jak wydawać polecenia, ale nie – jak współpracować z innymi i jak osiągać kompromis. To dwie ważne lekcje, których malec powinien się wcześnie nauczyć i ćwiczyć przez całe życie.

Zamiast tego powiedz sobie:

„To okazja, by nauczyć moje dziecko, czym jest kompromis"

Traktuj swą reakcję na żądanie dziecka jako potencjalną lekcję. Chociaż w gruncie rzeczy być może wolałabyś, żeby po prostu usiadło tam, gdzie mu kazałaś, uszanuj jego poczucie niezależności oraz umiejętność wyrażania swych opinii.

Dialog z dzieckiem

Nie krzycz. Nie mów:

„Co z tobą? Wiesz, że tam nie możesz usiąść, więc ruszaj się!"

W tym, że dziecko chce utwierdzić się w poczuciu niezależności, nie ma niczego złego. Swym bojowym zachowaniem stwarzasz dwa problemy: po pierwsze dajesz przykład autorytaryzmu, którego twoja pociecha nie powinna naśladować, zaś po drugie zniechęcasz ją do wyrażania swych uczuć, budząc w malcu strach, że znów będziesz na niego krzyczeć.

Zamiast tego przypomnij o zasadzie. Powiedz:

„Co reguła mówi o siadaniu w samochodzie? Musisz się do niej stosować dla własnego bezpieczeństwa"

Bezpieczeństwo zawsze powinno być stawiane na pierwszym miejscu. Prosząc dziecko, by powtórzyło regułę, przypominasz mu o jej przestrzeganiu.

Nie przekupuj. Nie mów:

„Jeśli usiądziesz z tyłu, tak jak powinnaś, zatrzymamy się pod sklepem i kupię ci coś słodkiego"

Zachęcając dziecko do przestrzegania reguł przekupstwem, uczysz je, że za spełnianie swej powinności można dostać nagrodę. Rozumowaniem, jakie chcesz mu wpoić, jest natomiast to, że przestrzeganie reguły jest konieczne dla bezpieczeństwa.

Zamiast tego okaż empatię. Powiedz:

„Przykro mi, że nie możesz tam usiąść. Wiem, że chcesz siedzieć z przodu, ale dzieci dla własnego bezpieczeństwa powinny siedzieć na tylnym siedzeniu"

Okazując zrozumienie dla pragnienia dziecka, by samodzielnie wybrać miejsce, uczysz go empatii, a jednocześnie pomagasz zrozumieć, dlaczego przestrzeganie reguły jest konieczne.

Nie gróź. Nie mów:

„Jeśli nie usiądziesz tam, gdzie ci każę, dostaniesz klapsa w tyłek"

Grożąc dziecku przemocą, nie nauczysz go, jak robić to, co konieczne. Zamiast tego malec wyciągnie z tego zdarzenia lekcję, iż więksi i silniejsi zawsze stawiają na swoim.

Zamiast tego odwołaj się do tabelki. Powiedz:

„Sprawdźmy w tabelce, gdzie powinieneś usiąść. Dziś jest poniedziałek, a to oznacza, że będziesz siedział tuż za mamusią!"

Rozważ opracowanie tabelki, zgodnie z którą dziecko mogłoby w różne dni tygodnia siedzieć w różnych miejscach bez narażania jego bezpieczeństwa. Opierając się na wcześniej dokonanych ustaleniach, unikasz konfliktów, a także uczysz dziecko współpracy i sztuki dzielenia się. W ten sposób dowiaduje się ono również, że dzięki współpracy wszyscy są szczęśliwi.

ROZDZIAŁ 25

„Porozmawiaj z tatą przez telefon” „Nie! Nie chcę rozmawiać z tatą przez telefon!”

To może naprawdę boleć. Naprawdę chcesz, by twój czterolatek porozmawiał przez telefon z twoim byłym, ale maluch odmawia. W takiej sytuacji bardzo ważne jest, byś postawiła się w sytuacji dziecka. Być może jest złe lub zmartwione, że mama i tata mieszkają w różnych domach. Może czuje się opuszczone i niepewne, co powiedzieć, gdy dzwoni ojciec lub matka. Być może łatwiej mu wówczas w ogóle nie rozmawiać. Dzieci przychodzą na świat z naturalnym darem odczuwania empatii, a twoim zadaniem jest pielęgnowanie i rozwijanie tej umiejętności w swojej pociesze. Z czasem z kolei ona nauczy się patrzeć na różne sytuacje z twojej perspektywy, a wówczas będzie jej łatwiej współpracować.

Przydatne wskazówki

- Upewnij się, że dziecko umie wszystko, co potrzebne jest do prowadzenia rozmowy przez telefon.
- Dzwoń do swego eksmałżonka w porach, gdy dziecko jest najbardziej skore do rozmowy (bezpośrednio po drzemce, posiłku, rano itp.).
- Rozmawiaj z dzieckiem o znaczeniu dobroci, troski i empatii, by zaczęło myśleć o tym, jak jego zachowanie wpływa na innych ludzi.
- Zachęcaj dziecko, by mówiło o swoich uczuciach, ćwicząc w ten sposób swe naturalne pokłady empatii. Dla przykładu, gdy bawisz się z córką lalkami, zadbaj o to, by lalki opowiadały o swoich uczuciach. Słuchaj, co mała będzie za nie „mówić”.

Dialog ze sobą

Nie mów sobie:

„Nienawidzę, gdy moje dziecko doprowadza do konfliktów między mną i moim byłym"

Nie wiń dziecka za konflikty z twoim eksmałżonkiem. To, że maluch nie chce rozmawiać ze swym drugim rodzicem, wynika z zawirowania, jakie nastąpiło w jego życiu. Zamiast go obwiniać, staraj się, by w obu domach było mu jak najlepiej.

Zamiast tego powiedz sobie:

„Muszę pomóc dziecku zrozumieć, jak ja bym się czuła, gdyby to ze mną nie chciało rozmawiać przez telefon"

Zamiast na karaniu go za niegrzeczne zachowanie, skoncentruj uwagę na pielęgnowaniu w swym dziecku empatii. Dzięki temu nauczy się myśleć o uczuciach innych ludzi przy podejmowaniu decyzji.

Nie mów sobie:

„Co się z nią dzieje nie tak? Chyba postępuję niewłaściwie, skoro tak się zachowuje"

Przypisując sobie winę za zachowanie dziecka przyjmujesz, że powinnaś mieć bezwzględną kontrolę nad tym, co robi. A tak naprawdę jest ono jednak niezależną osobą, która chce podejmować swoje własne decyzje.

Zamiast tego powiedz sobie:

„To nie moja wina, że dziecko nie chce rozmawiać przez telefon ze swym ojcem"

Nie jesteś w stanie kontrolować zachowania twojego dziecka, ale możesz na nie wpływać. Wzmacniaj jego zdolność odczuwania empatii i współczucia, wskazując mu sposoby odnoszenia się do innych z szacunkiem.

Nie mów sobie:

„Mam dość użerania się z nią, by porozmawiała z kimś przez telefon. Nic mnie nie obchodzi, czy kiedykolwiek jeszcze się do kogoś odezwie"

Gdy się poddajesz, pokazujesz, że nie jesteś zainteresowana wypracowaniem kompromisu, a także uczysz dziecko, że w poddawaniu się nie ma niczego złego. Dodatkowo dajesz mu przykład braku odporności na frustrację, nie wspominając o tym, że nie uczysz go odczuwania empatii.

Zamiast tego powiedz sobie:

„Zależy mi na jej związkach z innymi ludźmi. Chcę, by zrozumiała, jak ważne jest rozmawianie przez telefon z obojgiem rodziców"

Gdy dziecko odmawia współpracy, zawsze miej na względzie swój główny cel. Jest nim wyrobienie w swej pociesze życzliwości w odniesieniu do innych ludzi.

Dialog z dzieckiem

Nie upokarzaj. Nie mów:

„Co z tobą? Nie wiesz, że niegrzecznie jest odmawiać rozmowy z tatą?"

Nie sugeruj, że jeśli dziecko nie chcę rozmawiać przez telefon, jest z nim coś nie w porządku. Najprawdopodobniej jego zachowanie jest sygnałem, że w danej chwili nie jest gotowe na rozmowę telefoniczną, lub że potrzebuje twojej pomocy, by poradzić sobie ze swymi emocjami. Twoja agresywna reakcja z pewnością nie zachęci go do wyrażania uczuć.

Zamiast tego okaż empatię. Powiedz:

„Rozumiem, że w tej chwili nie chcesz rozmawiać z tatą. Ale tatuś bardzo chce porozmawiać z tobą i jest mu trochę przykro, że ty odmawiasz. Ale rozumie to i będzie czekał na rozmowę, gdy będziesz gotowy"

Zachęcając dziecko, by pomyślało o uczuciach drugiego rodzica, pomożesz mu się zastanowić, jak samo by się czuło, będąc na miejscu tatusia. Pomyśli też o tym, jak jego decyzje wpływają na uczucia innych ludzi.

Nie stawiaj pod znakiem zapytania bezwarunkowej miłości. Nie mów:

„Jeśli nie porozmawiasz z tatusiem przez telefon, tatuś przestanie cię kochać"

Gdy dziecku grozi się utratą miłości taty (lub mamy), malec uczy się, że jest kochany jedynie wówczas, gdy robi to, czego chcą rodzice. To bardzo niebezpieczny i szkodliwy komunikat: żeby być kochanym, trzeba zawsze spełniać oczekiwania rodziców.

Zamiast tego okaż zrozumienie. Powiedz:

„Powiedz mi, co myślisz, gdy odmawiasz porozmawiania z tatą. Chcę zrozumieć twoją decyzję"

Prosząc dziecko, by podzieliło się swymi przemyśleniami, inicjujesz dialog, który może cię poprowadzić ku rozwiązaniu sytuacji. Jednocześnie dajesz malcowi dobry przykład troskliwości i empatii – dwóch pozytywnych sposobów komunikowania się z drugą osobą.

Nie groź. Nie mów:

„Jeśli nie porozmawiasz z ojcem, do końca dnia zostaniesz u siebie w pokoju"

Grożąc dziecku odosobnieniem, nie nauczysz go spełniania twoich próśb w trosce o uczucia drugiego rodzica.

Zamiast tego zaproponuj umowę. Powiedz:

„Gdy skończysz rozmawiać z tatą przez telefon, będziesz mógł iść pobawić się na dworze"

Reguła Babuni daje dziecku motywację niezbędną, by zdecydowało się porozmawiać z ojcem. Jednocześnie przypomina mu o tym, że należy wykonać swe obowiązki zanim będzie można zająć się czymś, na co ma się ochotę.

Nie oceniaj. Nie mów:

„Wiem, że jesteś nieśmiała, ale kiedy tatuś dzwoni, naprawdę musisz z nim porozmawiać"

Mówiąc dziecku, że jest nieśmiałe, czynisz z nieśmiałości integralny element jego osobowości, usprawiedliwiając tym samym zachowanie swej pociechy.

Zamiast tego okaż wsparcie. Powiedz:

„Dzisiaj będzie dzwonił tata. Uwielbia z tobą rozmawiać, więc przećwiczmy, co możesz powiedzieć"

Pokaż dziecku, jak może czuć się swobodnie, robiąc coś, co wymaga odwagi – na przykład rozmawiając przez telefon z ojcem. Zawczasu przećwicz wyrażenia, których może użyć malec, by samo wydarzenie było dla niego mniej stresujące.

CZĘŚĆ V

ZABAWA

Żadna orkiestra nie zagrała nigdy muzyki równie pięknej, co śmiech dwuletniej dziewczynki bawiącej się z pieskiem.

—Bern Williams

ROZDZIAŁ 26

„Wyłącz telewizor”
„Nie! Nie chcę wyłączać telewizora!”

Kuszące obrazy i dźwięki telewizji łatwo mogą tak bardzo pochłonąć trzyletnie dziecko, że prędko uzależni się od tego „cudownego pudełka”. Malec nie rozumie, dlaczego może się to stać niebezpieczną rozrywką, dlatego twoim zadaniem jest nauczenie go tego. Dostarczaj mu innych form rozrywki, takich jak czytanie, gry czy zabawy artystyczne, a także ustal dzienne ograniczenia w oglądaniu telewizji.

Przydatne wskazówki

- Wprowadź zasadę regulującą, jak długo dziecko może każdego dnia oglądać telewizję. Amerykańska Akademia Pediatrii poleca ograniczenie czasu spędzanego przed telewizorem przez dzieci od dwóch lat do godziny lub dwóch dziennie.[6]
- Ogranicz czas, który sama przeznaczasz na oglądanie telewizji, żeby twoje dziecko mogło cię naśladować.
- Oglądaj programy razem z dzieckiem, zachęcając je, by było aktywnym widzem. Pytaj je o treść programów, a także – jeśli to konieczne – tłumacz, jak reklamy manipulują myślami i uczuciami.

Dialog ze sobą

Nie mów sobie:

„Jeśli moje dziecko będzie całe dnie siedzieć przed telewizorem, wyrośnie na tłustą, leniwą ofermę”

Au! Takie oceny bolą! Często działają jak samospełniające się przepowiednie, a na dodatek niekorzystnie wpływają na twój stosunek do dziecka oraz szkodzą jego samoocenie.

Zamiast tego powiedz sobie:

„Rozumiem, że moje dziecko chce oglądać telewizję, ale moim zadaniem jest zachęcenie go również do innych rozrywek"

Kiedy okażesz zrozumienie dla fascynacji twojego dziecka telewizją, łatwiej będzie ci podejść do problemu z szacunkiem i cierpliwością.

Nie mów sobie:

„Nie wiem, co robić, gdy moje dziecko odmawia wyłączenia telewizora"

Mówiąc sobie, że nie potrafisz znaleźć wyjścia z sytuacji, nie uczyni jej łatwiejszą. Gdy okazujesz bezradność, wyzwanie może cię przytłoczyć.

Zamiast tego powiedz sobie:

„Jestem w stanie poradzić sobie z jego oporem"

Kiedy poprawiasz własną pewność siebie, czujesz większą determinację, by pokonać opór dziecka i ograniczyć czas, który spędza ono przed telewizorem. To niezwykłe, jak wiele pomysłów może ci przyjść do głowy, kiedy przyjmiesz pozytywną, optymistyczną postawę.

Nie mów sobie:

„Nieważne, jak długo moje dziecko siedzi przed telewizorem. Nic mu się z tego powodu nie stanie"

Zbyt długie oglądanie telewizji może niestety prowadzić do otyłości, słabej samooceny, pogorszenia uwagi oraz agresywnego zachowania.[7] Nigdy się nie poddawaj!

Zamiast tego powiedz sobie:

„Muszę pilnować przestrzegania reguł dotyczących oglądania telewizji, żeby moje dziecko nie uzależniło się od niej"

Dzięki zrozumieniu, że telewizja uzależnia, determinacji w pilnowaniu wprowadzonych limitów oraz dostarczaniu dziecku alternatywnych zajęć, pomożesz mu uniknąć problemów wynikających ze zbyt długiego oglądania telewizji.

Dialog z dzieckiem

Nie upokarzaj. Nie mów:

„Co z tobą? Powiedziałam, żebyś wyłączył telewizor. Ogłuchłeś?"

Jeśli wiesz, że twoje dziecko nie ma problemów ze słuchem i że po prostu cię ignoruje, nie zadawaj takich upokarzających pytań. Skup się na celu, jakim jest nauczenie malca wykonywania poleceń.

Zamiast tego zaproponuj rozwiązania. Powiedz:

„Rozumiem, że nie chcesz wyłączyć telewizora, ale wykorzystałeś już dzisiejszy czas. Zastanówmy się, jakimi innymi fajnymi rzeczami możesz się teraz zająć"

Okazane zrozumienie i empatia, a także przypomnienie o zasadzie, pomogą dziecku nauczyć się ważnej lekcji przestrzegania reguł. Dając mu znać, że zwracasz uwagę na jego potrzeby i pragnienia, wzmacniasz łączącą was więź i zachęcasz je do współpracy.

Nie groź. Nie mów:

„Jeśli zaraz się nie podniesiesz i nie wyłączysz tego telewizora, pożałujesz"

Grożąc dziecku karą, sprawisz, że zacznie cię unikać lub też postanowi sprawdzić cię, odmawiając współpracy.

Zamiast tego zaproponuj umowę. Powiedz:

„Jeśli teraz wyłączysz telewizor, będziesz mógł później obejrzeć swój ulubiony program. Jeśli go teraz nie wyłączysz, wykorzystasz cały dzisiejszy czas przeznaczony na telewizję"

Reguła Babuni, zachęcająca dzieci, by zapracowywały na przywileje, pomoże twemu malcowi nauczyć się cierpliwości w oczekiwaniu na zadośćuczynienie. Zrobi, co musi, by potem móc zająć się tym, na co ma ochotę.

Nie skarż. Nie mów:

„Gdy twój ojciec wróci z pracy, powiem mu, że nie chciałeś wyłączyć telewizora"

Skarżąc na twoje dziecko drugiemu rodzicowi, pokazujesz malcowi, że sama nie jesteś w stanie wyegzekwować przestrzegania zasady. W ten sposób szkodzisz własnej wiarygodności. Strasząc pociechę ojcem, zmniejszasz z kolei jej zdolność odczuwania empatii.

Zamiast tego przypomnij o regule. Powiedz:

„Zgodnie z regułą, kiedy skończy się ten program, skończy się twój dzisiejszy czas zaplanowany na telewizję"

Przypominając dziecku o zasadzie, dajesz mu czas na przygotowanie się do zakończenia tego, czym się zajmuje. Uczysz je także, że wspólnie możecie realizować tak jego, jak i twoje priorytety.

ROZDZIAŁ 27

„Pobaw się chwilę sam"
„Nie! Nie chcę się bawić sam!"

Oto paradoks rozwoju przedszkolaka: choć najbardziej na świecie chce być z tobą, jednocześnie chce się od ciebie odseparować i wyrobić sobie swą własną tożsamość. Podtrzymując je na duchu i wspierając jego niezależność, możesz liczyć na korzyści, gdy nauczy się obracać w świecie tak, jak jego bohater – ty.

Przydatne wskazówki

- Pamiętaj, że na tym etapie rozwoju dziecka stanowisz dla niego coś w rodzaju „bazy wypadowej" – dość często potrzebuje się upewniać, że jesteś w pobliżu.
- Nawet gdy jesteś zajęta czymś innym, na przykład rozmową przez telefon, niech twoje dziecko bawi się samodzielnie w pobliżu, by móc cię widzieć i słyszeć.
- Zachęcaj dziecko do samodzielnej zabawy, dając mu interaktywne zabawki wymagające jego zaangażowania.
- Codziennie miej w planie dnia czas na zabawę z dzieckiem, by wiedziało, że będzie cię wówczas miało wyłącznie dla siebie.
- Zadbaj o to, by dziecko bawiło się w bezpiecznym, wygodnym i przyjemnym dla niego miejscu.

Dialog ze sobą

Nie mów sobie:

„Dlaczego nie widzi, że jestem zbyt zajęta, by się z nią bawić?"

Twoje dziecko nie rozumie tego, że masz inne obowiązki, ani tego, ile czasu ci zabierają. Jego jedyną myślą jest: „Ja chcę mamusię!". Zmień swój poirytowany ton na ton nacechowany cierpliwością, okazując dziecku zrozumienie.

Zamiast tego powiedz sobie:

„Rozumiem, że po całodniowej rozłące, moje dziecko chce być ze mną"

Gdy pojmiesz, skąd bierze się pragnienie dziecka, by pozostawać z tobą w kontakcie, łatwiej będzie ci odnaleźć w sobie podobną potrzebę. Odłóż na kilka minut wszystkie inne zajęcia lub znajdź sposób na to, by twoja pociecha pomagała ci w codziennych obowiązkach.

Nie mów sobie:

„Czuję się winna, gdy wracam do domu do sterty brudnych naczyń i nie mogę się pobawić z dzieckiem"

Wina rodzi się, gdy wmawiasz sobie, że zrobiłaś coś źle. To nie jest właściwa reakcja, gdyż w jej wyniku możesz przesadzać z rekompensatą i rozpieszczać swego malca, by zdobyć jego miłość.

Zamiast tego powiedz sobie:

„Potrafię poradzić sobie z tym, że muszę kazać dziecku bawić się samotnie, nawet gdy wtedy płacze"

Czasem bywa tak, że coś jest dla ciebie ważniejsze niż dziecko. Znajdując w sobie siłę, by przestrzegać ustalonych granic, unikniesz gniewu i poczucia winy. Pamiętaj, że tylko *ty* możesz je w sobie wzbudzić.

Nie mów sobie:

„Inni rodzice potrafią nakłonić dzieci, żeby się same bawiły. Dlaczego ja tego nie umiem?"

Porównywanie się do innych rodziców jest bezcelowe i destruktywne. Myśląc, że nie jesteś dobrym rodzicem, szkodzisz swej zdolności rozwiązywania problemów. Twoja więź z dzieckiem jest wyjątkowa i wymaga jednostkowego traktowania.

Zamiast tego powiedz sobie:

„Moje dziecko ma swój własny umysł, a jego opór nie oznacza, że jestem złą matką"

Zrozum, że dzieci bywają niezwykle niezależne, bez względu na to, jak są wychowywane. Jeśli was priorytety stoją we wzajemnej sprzeczności, ty i twoje dziecko musicie się nauczyć osiągać kompromis i pracować zespołowo.

Dialog z dzieckiem

Nie wzbudzaj poczucia winy. Nie mów:

„Przestań wreszcie narzekać, że chcesz się z kimś bawić! Ile razy mam ci powtarzać, że jestem zajęta?"

Stosując hasło „ile razy mam ci powtarzać", budzisz w dziecku poczucie winy, sprawiając, że robi mu się przykro – nie robisz natomiast nic, by nauczyć je, jak się bawić w pojedynkę. Dając zaś przykład obraźliwego języka, uczysz malca, by i on go używał.

Zamiast tego zaproponuj umowę. Powiedz:

„Wiem, że chcesz, żebym się z tobą pobawiła, ale muszę teraz gdzieś zadzwonić. Ustawię budzik, żeby zadzwonił za dziesięć minut. Jeśli przez ten czas będziesz się bawił sam, potem możemy w coś razem zagrać"

Użyj budzika, by pomóc dziecku nauczyć się zabawy w pojedynkę. Jeśli zajdzie konieczność, przećwicz z nim ten zwyczaj wówczas, gdy nie będzie to absolutnie konieczne – w ten sposób upewnisz się, że malec rozumie jego działanie.

Nie poddawaj się. Nie mów:

„No dobrze, przestań już jęczeć. Zostawię pranie i przyjdę się z tobą pobawić. To nic, że nie będziemy mieli czystych ubrań"

Ulegając narzekaniom dziecka, zachęcasz je jedynie do dalszego stosowania tej taktykę, by stawiać na swoim.

Zamiast tego zaproponuj umowę. Powiedz:

„Jeśli będziesz się sama bawić do czasu, kiedy skończę pranie, potem aż do obiadu pobawimy się lalkami"

Reguła Babuni pomoże dziecku nauczyć się osiągania kompromisu oraz cierpliwości w oczekiwaniu na zadośćuczynienie, a wszystko dlatego, że chce być z tobą.

Nie groź. Nie mów:

„Jeśli nie przestaniesz narzekać, że musisz się sam bawić, przez cały dzień nie wypuszczę cię z twojego pokoju. Może wtedy nauczysz się zajmować sobą"

Nie każ dziecka za to, że nie potrafi się samotnie bawić. Nie nauczysz go tym, jak zdobyć tę umiejętność, a na dodatek zniechęcisz je do mówienia ci o tym, czego chce.

Zamiast tego daj wybór. Powiedz:

„Możesz tu ze mną zostać i bawić się sam do czasu, aż skończę zmywać, albo możesz iść się bawić do swojego pokoju i tam na mnie poczekać. Wybór należy do ciebie"

Zamiast karać dziecko za to, że łaknie twojej uwagi, daj mu możliwość zostania przy tobie, podczas gdy ty wykonujesz swoje obowiązki. Oboje na tym wygracie, a maluch naucz się, że kompromis może pomóc mu w realizacji jego pragnień.

Nie okazuj gniewu. Nie mów:

„Mam dość twojego ciągłego dopraszania się o uwagę. Myślisz, że poza bawieniem się z tobą nie mam nic do roboty?"

Nie próbuj gniewem motywować dziecka do niezależności. Tą metodą zmniejszysz jedynie jego zdolność odczuwania empatii oraz nauczysz je, że jego pragnienie przebywania w twoim towarzystwie nie jest dla niego czymś ważnym. Jest do dla dziecka bardzo przykra, bolesna wiadomość.

Zamiast tego okazuj wdzięczność. Powiedz:

„Tak się cieszę, że chcesz się ze mną bawić. Ja też chcę się bawić z tobą! Kiedy tylko skończę pracę, a ty skończysz się zajmować swoimi zabawkami, zrobimy coś razem"

Okazując dziecku wdzięczność za to, że chce z tobą przebywać, pokazujesz, że jest w twoim życiu ważną osobą. Natomiast obiecując mu przyszłą korzyść w postaci twojej obecności i uwagi, zachęcasz je do samodzielnej zabawy.

ROZDZIAŁ 28

„Przestań już grać na komputerze" „Nie! Nie chcę wyłączyć komputera!"

Jeśli kochasz grać na komputerze, istnieje duża szansa, że lubi to także twój malec. O ile spędzanie wielu godzin przy komputerze może być częścią twojego zawodu (lub też twą ulubioną rozrywką), o tyle pięcioletnie dziecko powinno spędzać czas bawiąc się z rówieśnikami, ćwicząc swe rozwijające się ciało oraz stymulując umysł obrazami i dźwiękami prawdziwego świata. Być może nie od razu doceni zdrowe nawyki, jakich chcesz je nauczyć, ale ograniczając czas, który poświęca na granie i inne zajęcia bez ruchu, zapobiegniesz otyłości dziecięcej oraz jej skutkom ubocznych: wysokiemu ciśnieniu krwi, cukrzycy typu II i chorobie serca.

Przydatne porady

- Ustawiaj budzik, który będzie sygnalizował, kiedy należy wyłączyć komputer lub konsolę do gier.
- Dostarczaj dziecku różnorodnych materiałów (książeczki z obrazkami, lalki do ubierania, mazaki, papier, kredki, kolorowanki itp.), by stymulować jego wyobraźnię i kreatywność.
- Sprawdzaj treść wszystkich gier, zanim pozwolisz dziecku w nie grać. Upewnij się, że prezentują zdrowe relacje międzyludzkie, dają przykład zachowań pozbawionych przemocy i zawierają pozytywne przesłanie.
- Ograniczaj czas, który sama poświęcasz na gry komputerowe, gdy w pobliżu jest twój przedszkolak.

Dialog ze sobą

Nie mów sobie:

„Dlaczego nie robi tego, o co proszę? Nigdy mnie nie słucha!"

Nie odbieraj sprzeciwu dziecka osobiście. Ono cię nie odrzuca – po prostu nie chce przestać się bawić.

Zamiast tego powiedz sobie:

„Potrafię zachować spokój, gdy dziecko odrzuca moją prośbę"

Panując nad swoimi emocjami, dasz dziecku przykład zachowania, jakie powinno naśladować, ucząc się radzić sobie z frustracją. Co więcej, gdy nie odbierzesz całej sytuacji osobiście, łatwiej ci będzie cierpliwie i życzliwie szukać rozwiązania.

Nie mów sobie:

„To takie uparte dziecko. Nie wiem, co z nim począć"

Określając dziecko jako uparte, ryzykujesz wprowadzenie w ruch samospełniającej się przepowiedni. Zamiast ambitnie „równać w górę", malec zacznie „równać w dół", dostosowując się do twoich oczekiwań.

Zamiast tego mów sobie:

„Moim celem jest zidentyfikowanie zainteresowań i mocnych stron mojego dziecka oraz skierowanie ich na właściwe tory"

Pamiętaj, że twoim najważniejszym priorytetem jest nauczenie dziecka samodyscypliny. Gdy zacznie zbyt dużo uwagi poświęcać jednemu zajęciu, skieruj jego uwagę na inne tory.

Nie mów sobie:

„To nic, że całe dnie spędza przy komputerze. Przynajmniej nie zawraca mi głowy, a do tego wiem, gdzie jest"

Twoim zadaniem jest wskazać dziecku zajęcia sprzyjające jego rozwojowi. Nie zniechęcaj się, gdy nie chce wykonywać twoich poleceń.

Zamiast tego powiedz sobie:

„Lubię kontakt z moim dzieckiem i nie chcę, by postrzegało komputer jako swojego jedynego przyjaciela"

Kontaktując się na co dzień z tobą i z innymi osobami, dziecko wyrobi w sobie umiejętność obcowania z ludźmi. Miej to na względzie, gdy malec będzie cię błagał o dopuszczenie na dłużej do komputera.

Dialog z dzieckiem

Nie stosuj niejasnych gróźb. Nie mów:

„Powiedziałam, żebyś przestał grać na komputerze, i nie żartowałam! Jeśli będę to musiała powtórzyć jeszcze raz, pożałujesz!"

Niejasne groźby typu „jeszcze raz" jedynie zachęcają dziecko do sprawdzenia twojej cierpliwości, zamiast do zastosowania się do reguły. W takim przypadku jesteś zmuszona dotrzymać słowa i wyznaczyć jakąś karę, by nie ryzykować utraty wiarygodności. Stosując strategie, w których tracisz niezależnie od obranej opcji, sama siebie zapędzasz pod ścianę.

Zamiast tego użyj budzika. Powiedz:

„Kiedy zadzwoni budzik, będziesz musiał wyłączyć grę i znaleźć sobie inne zajęcie"

Ustal limity czasowe i używaj budzika, by sygnalizował kres tychże limitów. Ich przestrzeganie szybko stanie się dla twojego dziecka zdrowym nawykiem, który z wiekiem przeniesie na inne sytuacje.

Nie zawstydzaj. Nie mów:

„Czy chcesz wyrosnąć na leniwego tłuściocha? Tak właśnie będzie, jeśli nie przestaniesz grać w tę grę i nie zaczniesz się ruszać"

Nie mów dziecku, że w przyszłości będzie grube i leniwe. W chwili obecnej nie jest w stanie tego pojąć, więc nie jest to skuteczny sposób motywowania. Łatwo jednak może się przerodzić w samospełniającą się przepowiednię, jeśli tylko dostatecznie często będziesz to powtarzać.

Zamiast tego chwal współpracę. Powiedz:

„Dziękuję, że wyłączyłeś grę, gdy prosiłam"

Chwaląc dziecko za współpracę i posłuszeństwo, dajesz mu to, czego pragnie najbardziej: swoją uwagę i komplementy.

Nie porównuj. Nie mów:

„Dlaczego nie zwracasz na mnie uwagi, gdy cię o coś proszę? Jesteś zupełnie jak twój ojciec. On też nigdy mnie nie słucha"

Mówiąc dziecku, że zachowuje się jak inny członek rodziny, stawiasz ich oboje w złym świetle, a w ten sposób na pewno nie nauczysz swej pociechy współpracować.

Zamiast tego zaproponuj umowę. Powiedz:

„Jeśli skończysz grać, gdy zadzwoni budzik, później będziesz mógł znowu pograć"

Reguła Babuni uczy dziecko, że jeśli zrobi to, co musi, następnie może się zająć tym, na co ma ochotę. W ten sposób tak twoje, jak i jego priorytety mogą zostać zrealizowane.

Nie groź. Nie mów:

„Jeśli natychmiast nie przestaniesz grać, będę musiała spuścić ci lanie"

Grożąc dziecku bólem fizycznym, być może odniesiesz swój krótkoterminowy cel, jednak nie nauczysz go w ten sposób współpracy, co jest twoim celem długofalowym. Zamiast tego, malec zacznie się przed tobą chować. Wciąż będzie grał na komputerze, gdy będzie uważał, że ujdzie mu to na sucho. Nie nauczy się samodyscypliny, niezbędnej, by sam ograniczał czas spędzany przy komputerze.

Zamiast tego zaproponuj przerwę. Powiedz:

„Przykro mi, że nie przerwałeś gry, gdy skończył się czas. Teraz będziesz musiał ją odłożyć do końca dnia"

Gdy mówisz dziecku, że ci przykro, dajesz mu właściwy przykład empatii oraz sygnalizujesz, że rozumiesz, jak ciężko było mu przerwać dobrą zabawę. Zabierając na jakiś czas grę, uczysz swą pociechę, że brak współpracy z jego strony niesie za sobą negatywne konsekwencje.

ROZDZIAŁ 29

„Proszę, baw się cichutko, gdy maluch śpi” „Nie! Nie chcę się bawić cicho!”

Oto kolejna wspaniała okazja, by obudzić w dziecku naturalne pokłady empatii. Powiedz mu, iż rozumiesz, jak ciężko musi mu być cicho się bawić, skoro dotychczasowa zabawa jest świetna. Jednak jednocześnie delikatnie wytłumacz, że bycie miłym dla kogoś innego także sprawi, że dobrze się poczuje. Pomóż mu zrozumieć, że życzliwość jest magiczna: im więcej jej rozdajesz, tym więcej otrzymujesz z powrotem.

Przydatne porady

- Wprowadź zasady dotyczące cichej zabawy podczas drzemki twojego maleństwa. Dawaj swej pociesze znać, że na przykład za pięć minut położysz bobasa spać. Wtedy zacznie się czas cichej zabawy.
- Korzystaj z elektronicznej niani, by wiedzieć, co się dzieje w pokoju niemowlęcia, podczas gdy ty ze swoim starszym dzieckiem bawisz się w drugim pokoju. Dzięki temu nie będziesz musiała bez przerwy uciszać malucha, by słuchać odgłosów z pokoju maleństwa.
- Niech twoje dziecko dokładnie rozumie, co masz na myśli, gdy prosisz je, by było cicho. W przeciwnym razie może mu się na przykład wydawać, że zabraniasz mu w ogóle mówić bądź poruszać się. Zademonstruj ton głosu, jaki masz na myśli, i poproś, by unikało nagłych głośnych dźwięków.
- Maluchy w tym wieku są z natury hałaśliwe, więc nie unikniesz sporadycznych łomotów i pisków. Na szczęście niemowlęta śpią na tyle głęboko, by nie przeszkadzał im pewien nie za wysoki poziom dźwięku.

Dialog ze sobą

Nie mów sobie:

„Co się z nim dzieje? Czy naprawdę nie interesuje go maleństwo? Jak może tak nic nie rozumieć?"

Nie przypinaj dziecku etykietki nieczułego tylko dlatego, że nie zawsze pamięta o regule cichej zabawy. Niemowlęta zmieniają rytm życia rodziny i dostosowanie się do tego zajmuje trochę czasu.

Zamiast tego powiedz sobie:

„Moim zadaniem jest sprawienie, by dziecko zrozumiało, jak ważna jest cisza, podczas gdy maleństwo śpi"

Spojrzyj na sytuację w innym świetle: oto okazja, by nauczyć dziecko empatii. W ten sposób razem będziecie się starać, by zapewnić komfort najmłodszemu członkowi rodziny. Kiedy to tylko możliwe, chwal przejawy współpracy ze strony dziecka, by zachęcić je do ponawiania pozytywnego zachowania.

Nie mów sobie:

„Nie mogę dłużej wytrzymać tego hałasu. Potrzebuję ciszy – i maleństwo też"

Gdy mówisz sobie, że nie potrafisz sobie z czymś poradzić, bardziej prawdopodobne staje się, że faktycznie nie dasz rady.

Zamiast tego powiedz sobie:

„Nie lubię, gdy moja córka hałasuje, ale potrafię sobie z tym poradzić"

Wytłumacz sobie, że chciałabyś, by dziecko stosowało się do reguły cichej zabawy, ale świat się nie skończy, gdy czasem o niej zapomni. Pozwalając mu na popełnianie błędów, okazujesz empatię, tolerancję, akceptację i bezwarunkową miłość.

Nie mów sobie:

„Sprawię, że będzie cicho, choćby nie wiem co"

Traktując posłuszeństwo twego dziecka jako sprawę życia i śmierci, wyolbrzymiasz problem, czyniąc go niemal niemożliwym do rozwiązania. Hałas, który powoduje, nie jest czymś, co możesz kontrolować – w przeciwieństwie do twojej reakcji.

Zamiast tego powiedz sobie:

„Potrafię świadomie wybrać wyrozumiałą postawę, gdy moje dziecko czasem zapomni o regule"

Gdy pomyłkę dziecka uznasz za „nic wielkiego", unikniesz eskalacji drobnego nieporozumienia w ogólny konflikt. Pamiętaj, że wszystkie wydarzenia same z siebie są neutralne – to my określamy je jako pozytywne lub negatywne.

Dialog z dzieckiem

Nie upokarzaj. Nie mów:

„Co z tobą? Przecież mówiłam ci, żebyś była cicho!"

Z twoim dzieckiem wszystko jest w porządku. Jest normalnym przedszkolakiem, który chce rozmawiać, śpiewać, tańczyć i w każdy inny sposób zawiadamiać otoczenie o swojej obecności. Twoim zadaniem jest nauczenie go, by umiało postawić się w sytuacji innej osoby, oraz samej dawać mu przykład właściwego zachowania.

Zamiast tego zagraj w cichą grę. Powiedz:

„Teraz jest czas cichej zabawy. Zobaczymy, jak cicho potrafimy się zachowywać. Ciii... Słyszysz, jak tyka zegar? Prawda, jak jest miło i spokojnie, gdy panuje cisza? Kiedy maleństwo się obudzi, czas cichej zabawy minie. Cieszmy się nim, póki możemy"

Wskaż dziecku zalety czasu cichej zabawy, by zaczęło go lubić. Twoje pozytywne nastawienie zachęci malca, by naśladował je podczas zabawy z tobą.

Nie okazuj gniewu. Nie mów:

„Dlaczego nie możesz być cicho, jak prosiłam? Doprowadzasz mnie do szału!"

Unikaj pytań typu „dlaczego", które automatycznie zmuszają dziecko do obrony, tym samym zniechęcają je od wykonania twojego polecenia. Atakując je za to, że po prostu chce się bawić, zamiast zachęcenia do współpracy, doprowadzisz do jego alienacji.

Zamiast tego użyj budzika. Powiedz:

„Za pięć minut maleństwo idzie spać. Gdy zadzwoni budzik, zacznie się czas cichej zabawy. Przygotujmy się"

Wcześniej informując dziecko, co ma nastąpić, dajesz mu czas, by „przestawić się" na tryb cichego zachowania. Używając w tym celu budzika, zapobiegasz konfliktom i łatwiej panujesz nad sytuacją.

Nie przekupuj. Nie mów:

„Jeśli będziesz cicho, kiedy maleństwo pójdzie spać, dam ci lody, gdy się obudzi"

Przekupując dziecko jedzeniem, dajesz mu poczucie, że ma prawo wycenić swą współpracę. W ten sposób nie nauczy się, że umożliwienie braciszkowi lub siostrzyczce snu może mu poprawić samopoczucie.

Zamiast tego chwal współpracę. Powiedz:

„Tak cicho się bawisz. Bardzo ci dziękuję, że przestrzegasz reguły i pomagasz maleństwu spać. Malutkie dzieci bardzo tego potrzebują"

Chwal dziecko, gdy cicho się bawi, łącząc jego zachowanie z jego naturalną empatią. Pochwałami wzmocnisz jego pragnienie współpracy oraz udoskonali jego zdolność współodczuwania.

ROZDZIAŁ 30

„Podziel się"
„Nie! Nie chcę się dzielić!"

W dzieciach doprawdy niezwykłe jest to, że rozwijają się według własnego „rozkładu jazdy". Niektóre z nich rozumieją ideę dzielenia się już w wieku dwóch lat, innym potrzeba na to jeszcze kolejnych dwóch lub trzech lat. Powinnaś zachęcać do dzielenia się dzieci w każdym wieku – jest to bowiem umiejętność, którą trzeba w nich nieustannie ćwiczyć. Nawet dorośli potrzebują, by im o niej od czasu do czasu przypomnieć!

Przydatne wskazówki

- Ustal reguły dotyczące dzielenia się. Na przykład: „Gdy kładziesz zabawkę na ziemi, wszyscy mogą się nią bawić. Gdy trzymasz ją w ręku, bawisz się nią ty".
- Wskazuj na przykłady dzielenia się, by dziecko nauczyło się, na czym ono polega. Możesz to robić na przykład wówczas, gdy oddajesz mu część swojej kanapki lub pozwalasz dla zabawy chodzić w twoich butach.
- Gdy twoje dziecko odwiedzają koledzy lub koleżanki, niech schowa przed ich przyjściem kilka ulubionych zabawek.
- Rozpocznij własny rodzinny program pomocy potrzebującym, oddając zabawki i ubrania, których nie używacie.

Dialog ze sobą

Nie mów sobie:

„Jeśli nie potrafi się dzielić zabawkami, nie kupię mu już żadnej"

Odmawiając dziecku kupna nowych zabawek, nie nauczysz go dzielić się tymi, które posiada. Jedynym efektem takiego postępowania będzie to, że u malca wykształci się niezdrowa, rygorystyczna mentalość. Zamiast tworzyć zasady, które pozbawią dziecko jakichkolwiek szans postawienia na swoim, szukaj metod osiągnięcia kompromisu.

Zamiast tego powiedz sobie:

„Rozumiem, że mojemu dziecku trudno jest oddać swoją cenną własność, nawet na krótką chwilę"

Dziecko musi wiedzieć, że je rozumiesz i jego niechęć do dzielenia się nie jest dla ciebie czymś całkowicie obcym.

Nie mów sobie:

„To nic, że nie chce się dzielić. Inne dzieci i tak zepsułyby mu zabawki"

Nie usprawiedliwiaj egoizmu twego dziecka, czyniąc ze swej pociechy ofiarę niszczycielskiego zachowania rówieśników. Nie nauczysz go w ten sposób zabawy i pracy z innymi.

Zamiast tego powiedz sobie:

„Ważne, bym pokazała mu, jak czują się inni, gdy nie chce się z nimi dzielić"

Twoim celem jest nauczenie malca myślenia o uczuciach innych ludzi w taki sposób, jak myśli o swoich własnych.

Nie mów sobie:

„Moje dziecko to samolubny bachor!"

Przypinając dziecku podobne etykietki, nie tylko obarczasz je winą za naturalne w jego wieku zachowanie, ale również ryzykujesz, że przerodzą się one w samospełniającą się przepowiednię. Jeśli będziesz malca traktować jak nieposłusznego bachora, najprawdopodobniej stanie się nim.

Zamiast tego powiedz sobie:

„Moje dziecko po prostu robi to, co wszystkie dzieci w jego wieku"

Gdy zdasz sobie sprawę, że dzieci w wieku przedszkolnym z natury są egoistami, łatwiej będzie ci zrozumieć, że niechęć do dzielenia się jest u nich rzeczą normalną. Dzięki temu nie będziesz się złościć na tego typu zachowanie swej pociechy.

Dialog z dzieckiem

Nie upokarzaj. Nie mów:

„Jaki z ciebie egoista! Nikt nie będzie się chciał z tobą bawić"

Przewidując społeczną izolację dziecka, nie nauczysz go, że należy się dzielić. Twoje prognozy mogą się natomiast zmienić w samospełniającą się przepowiednię.

Zamiast tego przypomnij o regule. Powiedz:

„Pamiętaj, gdy zabawkę ma twój kolega, musisz poczekać, aż ją odłoży, zanim możesz się nią zacząć bawić"

Gdy przypomnisz dziecku o obowiązującej zasadzie, łatwiej będzie mu o niej pamiętać oraz odnieść się do bieżącej sytuacji. Skupianie się na tym, czego chcesz swą pociechę nauczyć, jest dużo skuteczniejsze niż skupianie się na jego złym zachowaniu.

Nie zadawaj pytań bez odpowiedzi. Nie mów:

„Dlaczego nie potrafisz się dzielić?"

Pytanie dziecka, dlaczego nie potrafi się dzielić, jest tym samym co pytanie noworodka, dlaczego nie potrafi chodzić.

Zamiast tego zaoferuj wsparcie. Powiedz:

„Wiem, że czasem trudno jest się dzielić. Zostanę z tobą i twoją koleżanką, gdy będziecie się bawić, żeby wam w tym pomóc"

Miło jest mieć nauczyciela, który pomoże zdobyć trudną umiejętność! Dzięki zastosowaniu takiej taktyki, twoje dziecko i ty jesteście w tej samej drużynie. Nadzorowanie zabawy daje ci także okazję, by udzielać pochwał, gdy twoja pociecha będzie się dzielić swoimi rzeczami, a także – by kłótnie zażegnać w zarodku.

Nie groź. Nie mów:

„Jeśli nie zaczniesz się dzielić zabawkami, wszystkie wyrzucę do śmieci. Będziesz miał nauczkę!"

Czcze groźby nie nauczą twojego dziecka dzielenia się swoją własnością. Być może weźmie sobie twoją groźbę do serca i na chwilę faktycznie podzieli się własnymi zabawkami, ale zrobi to jedynie po to, by ich nie stracić, nie zaś dlatego, że zależy mu na uczuciach innych.

Zamiast tego zastosuj przerwę w zabawie. Powiedz:

„Przykro mi, że ta zabawka budzi spory między wami. Będziecie musieli ją na chwilę odłożyć

Chwilowe usunięcie „problematycznej" zabawki zapobiegnie rozwojowi konfliktu, nie zawstydzając przy tym dzieci. Da ci przy tym okazję, by przypomnieć im o regule.

Nie błagaj. Nie mów:

„Proszę, podziel się. Zrób to dla mamusi!"

W ten sposób uczysz dziecko, by dzieliło się jedynie po to, żeby nie stracić twojej miłości i akceptacji, a nie dlatego, że chce bawić się i współpracować z innymi.

Zamiast tego użyj budzika. Powiedz:

„Nastawię budzik. Kiedy zadzwoni, przyjdzie czas, żebyś dał zabawkę bratu, by mógł się nią bawić, aż budzik nie zadzwoni jeszcze raz. Prawda, że miło się w ten sposób dzielić?"

Kiedy używasz budzika do przestrzegania reguły, to on „sprawuje władzę", nie ty. Dzięki temu możesz się skupić na zachęcaniu dziecka, by się do niej stosowało.

ROZDZIAŁ 31

„Przycisz muzykę" „Nie! Nie chcę przyciszyć muzyki!"

Czasem głośne słuchanie muzyki to właśnie to, czego potrzebuje pięciolatek (a czasem również dorosły!). Jednakże niezbędnym elementem harmonijnego współżycia z innymi ludźmi jest branie pod uwagę także ich zdania. Gdy twoje dziecko chce zwiększyć głośność, wykorzystaj tę okazję, by nauczyć go ważnej lekcji, jednocześnie okazując szacunek jego rodzącemu się zainteresowaniu muzyką.

Przydatne wskazówki

- Wprowadź regułę dotyczącą dopuszczalnego poziomu dźwięku. Oznacz go na potencjometrze taśmą klejącą, względnie przypominaj dziecku, jakiej liczby nie wolno przekraczać (w przypadku elektronicznych wyświetlaczy).
- Nie narzekaj, gdy ktoś inny prosi ciebie o przyciszenie muzyki.
- Dawaj przykład szacunku dla innych, pytając, czy muzyka nie jest zbyt głośna lub zbyt cicha.
- Zbadaj słuch swojego dziecka, by upewnić się, że to nie on jest przyczyną głośnego słuchania muzyki.
- Jeśli gusta muzyczne dziecka i preferowana przez nie głośność nie odpowiadają reszcie domowników, kup dziecku słuchawki. Upewnij się przy tym, że jego odtwarzacz nie generuje dźwięku o niebezpiecznym natężeniu.

Dialog ze sobą

Nie mów sobie:

„Jeśli moje dziecko będzie tak głośno słuchać muzyki, ogłuchnie zanim skończy 10 lat"

Skupiając uwagę na najgorszym scenariuszu, możesz zacząć zachowywać się irracjonalnie, próbując zapobiec problemowi. Zamiast tego w rozsądny sposób ucz dziecko, jak kontrolować głośność muzyki.

Zamiast tego powiedz sobie:

„Mogę sobie bezstresowo poradzić z tym hałasem"

Najprawdopodobniej również twoi rodzice musieli uczyć cię, jak panować nad głośnością, zatem miej na względzie to, jak działały na ciebie ich słowa. Rozmawiaj z dzieckiem w taki sposób, by było pewne twojej miłości.

Nie mów sobie:

„Moje dziecko zupełnie nie myśli o innych. Nie mogę znieść jego zachowania"

Uznając, że dziecko z zasady nie myśli o innych, czynisz z jego chęci pogłośnienia muzyki stały problem. Jednocześnie uczysz dziecko, że twoja miłość nie jest bezwarunkowa – że kochasz je jedynie wówczas, gdy robi, czego od niego oczekujesz.

Zamiast tego powiedz sobie:

„Moim celem jest nauczenie dziecka tego, by myślało o innych"

Nie zapominając o swym głównym celu, łatwiej się na nim skupisz, wyzwalając w dziecku naturalną empatię wobec uczuć innych ludzi.

Nie mów sobie:

„Chyba pozwolę mu puszczać muzykę tak głośno, jak chce. Nie mam już siły do ciągłych kłótni"

Poddając się żądaniu twego dziecka, uczysz je, jak dawać za wygraną, gdy stajemy twarzą w twarz z przeciwnością. Poza tym, pozwalając malcowi długo słuchać głośnej muzyki, narażasz na niebezpieczeństwo jego słuch.

Zamiast tego powiedz sobie:

„Dając za wygraną, uchylam się od odpowiedzialności za nauczenie dziecka właściwego zachowania"

Mimo że bywasz zmęczona i zestresowana, obowiązki rodzicielskie musisz stawiać na pierwszym miejscu. Jeśli nauczysz dziecko współpracy, korzyści będzie z tego czerpać przez całe życie.

Dialog z dzieckiem

Nie gróź. Nie mów:

„Jeśli tego natychmiast nie ściszysz, wejdę tam i dostaniesz lanie"

Nigdy nie gróź dziecku przemocą fizyczną, by zmusić je do posłuszeństwa. Może to co prawda odnieść skutek na krótką metę, ale nie pomoże nauczyć dziecka ważnej lekcji: dbania o uczucia innych ludzi.

Zamiast tego przedstaw problem. Powiedz:

„Wiem, że lubisz głośną muzykę, ale od tego bolą mnie uszy. Musisz ją ściszyć"

Mówiąc dziecku o skutkach, jakie wyrządza jego głośna muzyka, pobudzasz w nim naturalną empatię. Zamiast krzyczeć na nie, by robiło, co mu każesz, uzasadnij swoją prośbę. Malec poczuje się ważny, gdyż szanujesz go na tyle, by powiedzieć mu prawdę.

Nie karz. Nie mów:

„Mam po dziurki w nosie tej głośnej muzyki. Wyrzucę ci ten odtwarzacz"

Nie mów dziecku, że zniszczysz jego odtwarzacz, by zmusić je do współpracy. Drastyczne, destruktywne „rozwiązanie" co prawda zlikwiduje hałas, ale nie nauczy dziecka znaczenia współpracy. Co więcej, malec może wywnioskować z tego, że jeśli się będzie źle zachowywać, również zostanie wyrzucony.

Zamiast tego sięgnij po "odstawienie". Powiedz:

„Przykro mi, że nie pamiętałaś, że nie wolno głośno słuchać muzyki. Teraz muszę ci zabrać odtwarzacz aż do jutra"

Stosując tę regułę, uczysz dziecko, że musi słuchać muzyki cicho, jeśli chce jej w ogóle móc słuchać. Zarekwirowanie odtwarzacza na pewien czas to skuteczna metoda, gdyż muzyka zostaje ściszona (całkowicie), a dziecko przypomina sobie o tym, jak ważne jest przestrzeganie zasad.

Nie przekupuj. Nie mów:

„Jeśli ściszysz muzykę, kupię ci nowe płyty"

Proponując dziecku płyty w zamian za ciche słuchanie muzyki, uczysz je, że za robienie tego, o co prosisz, należy mu się nagroda.

Zamiast tego zaproponuj umowę. Powiedz:

„Jeśli potencjometr pozostanie w pozycji, którą oznaczyliśmy, będziesz mógł używać odtwarzacza"

Reguła Babuni mówi dziecku, że gdy stosuje się do zasad, może robić to, na co ma ochotę.

CZĘŚĆ VI

SPRZĄTANIE I HIGIENA

Nuda rodzi się z rutyny.
Radość, zachwyt i uniesienie rodzą się z zaskoczenia.

—Leo Buscaglia

ROZDZIAŁ 32

„Posprzątaj zabawki"
„Nie! Nie chcę sprzątać!"

Gdy twój czterolatek ignoruje prośby o posprzątanie zabawek, sygnalizuje, że jego priorytety różnią się od twoich. Chce się dalej bawić i bałaganić, podczas gdy ty pragniesz przywrócić porządek w „spustoszonej" strefie. Dzieci w wieku dwóch-trzech lat często potrzebują wskazówki, od czego zacząć sprzątanie, jednak cztero- czy pięciolatki nie powinny mieć kłopotów z wykonaniem zadania – oczywiście o ile wcześniej to ćwiczyły.

Przydatne wskazówki

- Zachęć dziecko do sprzątania zabawek, wprowadzając prostą zasadę: „Zanim wyjmiesz nową zabawkę, musisz odłożyć na miejsce tę, którą się bawisz".
- Ułatw dziecku wyjmowanie i wkładanie rzeczy na miejsce, by chętniej przestrzegało reguły. Możesz na przykład przeznaczyć na zabawki dolne półki oraz pojemniki.
- Włączaj dziecko do rodzinnego sprzątania, by uczyło się poprzez oglądanie i naśladowanie.
- Rozważ ograniczenie ilości zabawek jednocześnie dostępnych dziecku poprzez podzielenie wszystkich jego rzeczy na cztery części i odłożenie trzech z nich. Pod koniec tygodnia odłóż ten zestaw i na następny tydzień daj dziecku następny.

Dialog ze sobą

Nie mów sobie:

„Co się z nim dzieje? Dlaczego ten bałaganiarz nie potrafi utrzymać porządku tak jak jego siostra?"

Niektóre dzieci są bardziej zorganizowane i porządniejsze, dla innych zaś porządek nie jest rzeczą najwyższej wagi, ale dzięki twojej pomocy i twojemu wsparciu dziecko może się nauczyć szanować jego znaczenie. Traktuj swoje dzieci indywidualnie i unikaj porównywania ich ze sobą, gdyż może to jedynie skutkować zrodzeniem się między nimi rywalizacji i zazdrości.

Zamiast tego powiedz sobie:

„To, że moje starsze dziecko jest urodzonym czyścioszkiem, nie oznacza, że i młodsze musi nim być"

Gdy zrozumiesz, że dzieci różnią się od siebie, przestaniesz oczekiwać, by jedno z nich było takie jak drugie.

Nie mów sobie:

„Moje dziecko to bałaganiarz taki sam jak jego ojciec"

Nie przypinaj dziecku łatek i nie zrzucaj winy za jego bałaganiarstwo na drugiego rodzica. W ten sposób skazujesz je na życie w bałaganie, przyznajesz się do wychowawczej bezsilności oraz szkodzisz jego wyobrażeniu o drugim rodzicu.

Zamiast tego powiedz:

„Wiem, że trudno jest skłonić moje dziecko by posprzątało po sobie, ale zawsze czuję się dużo lepiej, gdy wszystko leży na swoich miejscach"

Skoncentruj się na pozytywnych skutkach, nie na bałaganiarstwie dziecka lub jego niechęci do współpracy. Dzięki temu będziecie wspólnie pracować w dążeniu do celu.

Nie mów sobie:

„Moje dziecko nie będzie chciało się mnie słuchać, gdy mu powiem, żeby po sobie posprzątało"

Weź pod uwagę to, że to wcale nie brak posłuszeństwa dziecka może leżeć u źródeł problemu. Być może nie wie, od czego zacząć, lub też zadanie przytłacza je. Oceń jego umiejętności na przykład prosząc je, by pokazało ci, w jaki sposób sprzątnęłoby klocki.

Zamiast tego powiedz sobie:

„Trochę wysiłku z mojej strony może przynieść korzyści na całe życie"

Współpracując z dzieckiem, chwaląc jego wysiłki oraz wspólnie świętując korzystne wyniki, skupiasz swą uwagę na pozytywnych aspektach zaistniałej sytuacji. Zamiast zatrzymywać się na doraźnych wyzwaniach, stale myśl o długofalowym celu, jakim jest nauczenie dziecka porządku.

Dialog z dzieckiem

Nie zrzędź. Nie mów:

„Ile razy mam ci powtarzać, żebyś sprzątała po sobie ubranie?"

Nikt nie lubi zrzęd. Takim postępowaniem uczysz jedynie dziecko, by „wyłączało się" i przestawało cię słuchać, a dodatkowo – by samo zrzędziło wobec innych ludzi. Na pewno nie pokazujesz mu jednak, jak istotna jest czystość oraz jak ją osiągnąć.

Zamiast tego przypomnij mu o regule. Powiedz:

„Pamiętaj, reguła mówi, że nie możesz wziąć nowej zabawki, zanim nie odłożysz tej, którą skończyłeś się bawić"

Delikatnie przypominając dziecku o obowiązującej regule, uczysz je nie tylko współpracy, ale również tego, że porządek i dobra organizacja są bardzo istotne. Gdy ustalasz reguły zachęcające malca do posłuszeństwa, dajesz mu lekcję funkcjonowania świata dorosłych. Na co dzień musimy na każdym kroku stosować się do różnorodnych zasad: zatrzymując się na czerwonym świetle, płacąc za zakupione towary itd. Na rozpoczęcie ćwiczeń nigdy nie jest za wcześnie.

Nie groź. Nie mów:

„Jeśli nie odłożysz zabawek na miejsce, wyrzucę je do śmieci"

Jeśli zagrozisz dziecku wyrzuceniem zabawek, ja ono ciebie nie posłucha, ryzykujesz tym, że będziesz musiała dotrzymać słowa, jeśli malec postanowi cię sprawdzić – a byłoby to kosztowne dla was obojga. No i oczywiście i tak nie nauczyłoby go sprzątania po sobie.

Zamiast tego zamień sytuację w grę. Powiedz:

„Ustawmy budzik i zobaczymy, czy uda nam się wszystko posprzątać, zanim zadzwoni"

Używanie budzika sprawia, że to on „rządzi", nie ty. Wspólnie pracując, uczysz dziecko wartości pracy zespołowej, a także masz okazję do chwalenia wysiłków twej pociechy.

Nie przypinaj etykietek. Nie mów:

„Nic dziwnego, że nie umiesz po sobie posprzątać. Jesteś leniem dokładnie tak jak twój ojciec"

Unikaj słów, które ranią. Nigdy nie są warte bólu, który mogą zadać, a jedynym, co można nimi osiągnąć, jest zaostrzenie konfliktu. Uznanie dziecka za lenia może się stać samospełniającą się przepowiednią.

Zamiast tego okaż empatię. Powiedz:

„Rozumiem, że trudno ci jest posprzątać, gdy chcesz się dalej bawić. Wiem, co czujesz"

Jeśli ty również jesteś oporna w kwestiach sprzątania, przyznając się przed dzieckiem do tej wady okażesz mu zrozumienie sytuacji, w której się znajduje. Dzięki temu wspólnie łatwiej wam będzie podołać zadaniu.

Nie przekupuj. Nie mów:

„Jeśli posprzątasz, kupię ci jakieś nowe zabawki"

Przekupstwem nie nauczysz dziecka pożądanych umiejętności, ani też nie pomożesz mu w wykształceniu w sobie zdrowego podejścia do porządku i samodyscypliny. Zamiast tego pokażesz mu, że posłuszeństwo można kupić oraz że może za nie żądać jak najwyższej ceny.

Zamiast tego zaproponuj umowę. Powiedz:

„Kiedy już zbierzemy i poukładamy na półkach wszystkie zabawki, możemy razem zagrać w jakąś grę"

Zastosuj Regułę Babuni, by nauczyć dziecko, iż spełnienie twoich priorytetów ułatwia mu zrealizowanie jego własnych.

ROZDZIAŁ 33

„Proszę, wyjdź z wanny"
„Nie! Nie chcę wyjść z wanny!"

Uważaj, o co prosisz... bo możesz to dostać! Uczynienie z kąpieli dobrej zabawy jest potrzebne, by twój trzylatek chciał w ogóle *wejść* do wanny. Jednak wówczas naturalnym efektem będzie to, iż nie będzie chciał z niej wyjść. By opuścić wannę, maluch potrzebuje ciepła i poczucia bezpieczeństwa, zatem przygotuj dużo ręczników, tul go i całuj.

Przydatne wskazówki

- Ustal limit czasowy kąpieli i używaj budzika, by go egzekwować.
- Rozpoczynaj kąpiel wcześnie, byś nie musiała potem popędzać malca, by skończył zabawę.
- *Nigdy* nie zostawiaj dziecka samego w wannie, nawet na kilka sekund.
- By uniknąć oparzenia dziecka, zadbaj o to, by woda nie miała więcej niż 50°C.

Dialog ze sobą

Nie mów sobie:

„Nienawidzę tej wieczornej batalii o wyjście z wanny"

Obwinianie dziecka za „postawienie cię w tej sytuacji" zwiększy jedynie twoją nerwowość i zniechęci malca do współpracy.

Zamiast tego powiedz sobie:

„Potrafię sobie poradzić z tym, że nie chce wyjść z wanny. Świetnie się bawi, więc trudno ją winić!"

Pozytywne podejście do sytuacji pomoże ci zachować przyjazny ton.

Nie mów sobie:

„Nie zniosę dziś kolejnej bitwy o wannę. Nie mam na to siły"

Nie rób tego! W ten sposób przekonujesz sama siebie, że kąpiel dziecka będzie dla ciebie stresem, a co za tym idzie, utrudniasz sobie zebranie sił i cierpliwości, niezbędnych by poradzić sobie z problemem. Jeśli oczekujesz bitwy, prawdopodobnie się jej doczekasz.

Zamiast tego powiedz sobie:

„Rozumiem chęć mojego dziecka by popluskać się w wannie"

Zrozumienie potrzeb i pragnień dziecka pozawala ci utrzymać pozytywny stosunek do niego, a dzięki temu łatwiej jest współpracować.

Nie mów sobie:

„Mam tyle rzeczy do zrobienia. Nie mogę tracić czasu na przyglądanie się, jak moje dziecko bawi się w wannie"

Przedkładanie własnych priorytetów nad priorytety dziecka sprawi, że stracisz z nim kontakt. Malec może zacząć sprzeciwiać się twoim poleceniom tylko po to, by przyciągnąć twoją uwagę.

Zamiast tego powiedz sobie:

„Moim zadaniem jest nauczyć dziecko współpracy, a rezygnowanie z pewnych rzeczy to dla niego dobra lekcja"

Jeśli maluch nie jest jeszcze gotów przerwać zabawy, ustaw budzik tak, by zadzwonił za kilka minut. Powiedz przy tym dziecku, że kiedy budzik zadzwoni, będzie musiało wyjść z wanny. Dzięki pamiętaniu o jego priorytetach cele każdego z was mogą zostać osiągnięte.

Dialog z dzieckiem

Nie gróź. Nie mów:

„Natychmiast wyjdź z wanny, zanim dam ci klapsa na gołą pupę!"

Nie gróź dziecku, że je skrzywdzisz! Jeśli to zrobisz, być może osiągniesz bieżący cel, ale ból – fizyczny i emocjonalny – to zbyt wysoka cena.

Zamiast tego użyj budzika. Powiedz:

„Kiedy zadzwoni budzik, przyjdzie czas by wyjść z wanny i wytrzeć się, żebym zdążyła jeszcze opowiedzieć ci przed snem bajkę"

Użyj budzika, by zapanować nad sytuacją, jednocześnie dając dziecku jakiś bodziec (np. obiecując bajkę), by zmotywować je do współpracy. W ten sposób spojrzy w przyszłość i przestanie skupiać się wyłącznie na zabawie w wannie.

Nie bagatelizuj uczuć dziecka. Nie mów:

„Mam ważniejsze rzeczy do roboty, więc wychodź już z tej wanny"

Mówiąc dziecku, że masz coś ważniejszego do zrobienia, sprawisz, że poczuje się niechciane i niegodne twojej uwagi. Zamiast współpracować, zrobi co może, by oprzeć się twojemu poleceniu – po to, byś wreszcie zwróciła na nie uwagę.

Zamiast tego przypomnij regułę. Powiedz:

„Co reguła mówi o siedzeniu w wannie?"

Poprzez odnoszenie się do obowiązującej zasady pomagasz dziecku wyrobić w sobie samodyscyplinę, która będzie mu potrzebna w życiu. Jednocześnie stawiasz siebie w roli pomocnika, nie nadzorcy.

Nie złość się. Nie mów:

„Zaczynasz mnie denerwować, więc lepiej wyjdź z wanny, zanim się wścieknę"

Wpadając w złość, nie nauczysz dziecka współpracy, ani nie dasz przykładu samokontroli, którą chciałabyś w nim wykształcić. Osiągniesz efekt dokładnie odwrotny: pokażesz malcowi, jak wykorzystywać gniew, by osiągać swe cele.

Zamiast tego przedstaw konsekwencje. Powiedz:

„Przykro mi, że spędziłeś za dużo czasu w wannie. Teraz nie będziemy już mieli czasu na zjedzenie czegoś ani na bajkę"

Niech dziecko poniesie skutki nieosiągnięcia swych celów. Dzięki temu nauczy się, że jego zachowanie ciągnie za sobą konsekwencje, tak pozytywne, jak i negatywne. Nabierze również doświadczenia w radzeniu sobie z drobnymi rozczarowaniami, jakich pełno w życiu.

Nie przekupuj. Nie mów:

„Jeśli zaraz wyjdziesz z wanny, dam ci cukierka"

Cukierkowe przekupstwo pozostawi po sobie niesmak! Sprawi, że słodycze staną się dla dziecka bardzo ważne i nauczy je, że ma ono prawo wycenić swą współpracę.

Zamiast tego zaproponuj umowę. Powiedz:

„Gdy wyjdziesz z wanny, wytrzesz się i ubierzesz w piżamkę, będę ci mogła poczytać bajkę na dobranoc"

Reguła Babuni pomaga dziecku wyrobić w sobie samokontrolę oraz cierpliwość. Te umiejętności ułatwią mu radzenie sobie w życiu z koniecznymi, aczkolwiek często nieprzyjemnymi zadaniami.

ROZDZIAŁ 34

„Umyj zęby” „Nie! Nie chcę myć zębów!”

Być może kiedy byłaś dzieckiem, sama bałaś się mycia zębów – a może nawet wciąż tego nie lubisz! Jeśli twoja pociecha odmawia wykonania tego polecenia, nie szukaj uzasadnienia w kolorze szczoteczki albo smaku pasty. U źródeł problemu tkwi pragnienie dziecka, by panować nad swoim światem. Daj mu poczucie, że ma kontrolę nad sytuacją – a także przekonaj, że utrzymywanie higieny jamy ustnej może być przyjemne – pozwalając wybierać samodzielnie wszystkie rzeczy służące temu celowi.

Przydatne wskazówki

- Kiedy to tylko możliwe, myj żeby w obecności dziecka, by zobaczyło, jak się to robi i miało motywację, by cię naśladować.
- Znajdź przyjaznego dzieciom dentystę, który wspierałby twoje starania o utrzymanie higieny jamy ustnej twojego malca. Jeśli to możliwe, porozmawiaj najpierw z kilkoma różnymi dentystami, dowiadując się, w jaki sposób pracują z małymi dziećmi.

Dialog ze sobą

Nie mów sobie:

„Moje dziecko strasznie mnie denerwuje, gdy nie chce robić tego, co dla niego dobre"

Nie mów sobie, że dziecko ma władzę nad twoimi uczuciami. W ten sposób przestajesz panować nad własnym życiem, przenosząc odpowiedzialność za sytuację na dziecko.

Zamiast tego powiedz sobie:

„Nie zdenerwuje mnie jego opór. Mój gniew nie nauczy go przecież współpracować"

Utwierdzając się w pragnieniu zachowania spokoju w obliczu przeciwności, dasz dziecku dobry przykład, sobie zaś – zastrzyk energii i kreatywności potrzebny by rozwiązać problem. Taka sytuacja aż się prosi, by podejść do niej z humorem – a o ten w złości bardzo ciężko. Odrobina humoru może zdziałać cuda, nastrajając cię pozytywnie oraz motywując twoje dziecko do współpracy.

Nie mów sobie:

„Dlaczego nie chce się mnie słuchać? Jest taki uparty!"

Skończ z etykietkami! Gdy nazywasz dziecko upartym, jego opór z przelotnego problemu staje się częścią jego osobowości. Powtarzaj sobie swą rodzicielską mantrę: „To także minie".

Zamiast tego powiedz sobie:

„Nie zamierzam wdawać się z moim dzieckiem w bitwę o mycie zębów. To by tylko nam obojgu utrudniło życie"

Sprzeczanie się o drobiazgi przemieni twój dom w pole bitwy, na którym nie ma zwycięzców. Myśl o myciu zębów jako o codziennym zwyczaju, takim jak mycie rąk przed obiadem czy czesanie się przed wyjściem do szkoły. Twoje dziecko zacznie to wówczas traktować jak zwyczajny element dnia.

Nie mów sobie:

„A niech mu nawet zęby spróchnieją. Nie będę z nim codziennie walczyć"

Decydując się na ucieczkę od problemu, narażasz zdrowie dziecka, nie wspominając o tym, że nie uczysz go współpracować. Skup się na swym celu, nie na buncie malca.

Zamiast tego powiedz sobie:

„Muszę pamiętać o moim celu"

Stawiając sobie za priorytet nauczenie dziecka dbałości o higienę jamy ustnej, spojrzysz na drobne potyczki z właściwej perspektywy. Twoje pozytywne nastawienie udzieli się malcowi. Jego opór nie może osłabić twej determinacji, by być dobrym wychowawcą własnej pociechy. Tylko ty możesz podjąć tę decyzję.

Dialog z dzieckiem

Nie wpadaj w gniew. Nie mów:

„Mam po dziurki w nosie tego, że nie chcesz myć zębów. Właź do łazienki i nie wychodź, póki nie skończysz"

Kategoryczne żądanie współpracy sprawia, że między tobą a dzieckiem rośnie mur – zamiast lekcji współpracy, pokazujesz mu, że jesteś gotowa na bitwę. Perswazją skłonisz malca jedynie do wzmożenia oporu. Nie prowadź wojny, zawieraj pokój!

Zamiast tego daj dziecku wybór. Powiedz:

„Rozumiem, że nie lubisz myć zębów, ale utrzymywanie ich w czystości jest bardzo ważne. Czy chcesz, żebym ci pomogła, czy sam je wymyjesz?"

Okazując chęć pomocy, możesz zmiękczyć opór malca. Pracując wspólnie, łatwiej osiągniecie priorytet dziecka (posiadanie odrobiny kontroli nad swym światem) oraz twój (wymycie zębów).

Nie upokarzaj. Nie mów:

„Jesteś uparty jak osioł! Nie wiem, co ja mam z tobą począć"

Przypinając dziecku etykietki, utożsamiasz je z jego zachowaniem, przyczyniając się do wykształcania się u niego negatywnego samowizerunku. Dbaj o to, by malec rozumiał, iż nie jest tożsamy ze swym zachowaniem – choć czasem może się zachowywać w sposób niestosowny, jest w stanie to zmienić. Daj dziecku odczuć, że zawsze jest cudowne i kochane, nawet jeśli nie zasługuje na to sposobem zachowania.

Zamiast tego zachęcaj do odzewu. Powiedz:

„Powiedz mi, czego nie lubisz w myciu zębów. Chciałabym ci pomóc, jeśli tylko mogę"

Pytając dziecko o zdanie, czynisz je równorzędnym rozmówcą, a jednocześnie zdobywasz informacje, które pomogą ci w rozwiązaniu problemu.

Nie przekupuj. Nie mów:

„Jeśli umyjesz zęby, dam ci lizaka"

Proponując dziecku nagrodę za zrobienie czegoś, o co je prosisz, pokazujesz mu, że we współpracy nie jest ważne grupowe działanie, lecz zapłata. Poza tym słodki napój lub przekąska niweczy cały trud mycia zębów.

Zamiast tego zaproponuj umowę. Powiedz:

„Gdy twoje ząbki będą już czyste,
będę ci mogła poczytać bajki na dobranoc"

Reguła Babuni uczy dziecko, że najpierw musi wykonać wymagane zadanie, by móc zrobić to, na co ma ochotę. Ta ważna lekcja uczy go, że celem współpracy jest korzyść wszystkich zaangażowanych stron.

ROZDZIAŁ 35

„Czas iść do fryzjera”
„Nie! Nie chcę iść do fryzjera!”

Ostre nożyce. Wielki, przerażający fotel. Zimny metal dotykający skóry dziecka. Wizyta u fryzjera może być dla niedoświadczonego dwulatka koszmarem. Gdy postawisz się w sytuacji malca, zrozumiesz, dlaczego protestuje. Postaraj się znaleźć odpowiednią osobę (fryzjera, znajomego lub siebie samą), kto pomoże zmienić strach w przyjemne przeżycie.

Przydatne wskazówki

- Pobawcie się w domu we fryzjera, by dziecko zorientowało się na czym to polega.
- Rozmawiaj z dzieckiem o przyjemnych aspektach wizyty u fryzjera, takich jak łaskotanie bzyczącą maszynką w kark oraz przyjemne uczucie masowania głowy.
- Upewnij się, że osoba strzygąca twoje dziecko jest doświadczona i cierpliwa.
- Stój cały czas przy dziecku, by czuło się bezpieczne.

Dialog ze sobą

Nie mów sobie:

„Co się dzieje z moim dzieckiem? Dlaczego nie może po prostu siedzieć spokojnie i dać się ostrzyc?"

Nie zakładaj, że z twoim dzieckiem jest coś nie w porządku, gdy czegoś się boi. Lęk przed obcym, uzbrojonym w nożyczki człowiekiem jest dla niego czymś całkowicie naturalnym.

Zamiast tego powiedz sobie:

„Opór mojego dziecka jest zrozumiały. Moim zadaniem jest pomóc mu przezwyciężyć strach"

Niech twoja empatia pomoże ci zrozumieć uczucia dziecka. Jednocześnie jednak nie zapominaj o swym celu – dzięki temu łatwiej uporasz się z zadaniem.

Nie mów sobie:

„Dlaczego moje dziecko mi to robi? Żeby tak choć raz chciało ze mną współpracować"

Staraj się nie odbierać oporu dziecka osobiście. W ten sposób stajesz się bowiem ofiarą, tracisz z oczu potrzeby dziecka oraz utrudniasz sobie znalezienie oryginalnych sposobów na przezwyciężenie strachu malca.

Zamiast tego powiedz sobie:

„Potrafię sobie poradzić z strachem mojego dziecka przed fryzjerem"

Utwierdzając się w tym przekonaniu, ułatwiasz sobie uporanie się z wyzwaniem i znalezienie rozwiązania. *Potrafisz* nauczyć dziecko współpracy, ale najpierw musisz sama siebie o tym przekonać.

Nie mów sobie:

„Co pomyślą o mnie ludzie w salonie fryzjerskim, gdy będę musiała walczyć z moim dzieckiem, żeby dało się ostrzyc?"

Martwiąc się o to, co pomyślą inni, zaczniesz się denerwować i nie będziesz się mogła skupić się na pomocy dziecku. Nie pozwól, by opinie innych ludzi (prawdziwe bądź wyimaginowane) wpływały na to, jaka jesteś wobec swej pociechy.

Zamiast tego powiedz sobie:

„Nie muszę się wstydzić, gdy moje dziecko opiera się przed strzyżeniem"

Odrzucając uczucie wstydu, skupisz się na potrzebach swego dziecka.

Nie mów sobie:

„Poddaję się. Nic mnie już nie obchodzi, czy pójdzie do fryzjera czy nie"

Nie poddawaj się! Twoim zadaniem jest pomóc dziecku pokonać strach. Być może będzie to wymagać kilku wizyt u fryzjera, zatem uzbrój się w cierpliwość.

Zamiast tego powiedz sobie:

„Ucząc się, jak zachęcać dziecko do współpracy, doskonalę swe zdolności przywódcze"

Bycie dobrym przywódcą to bardzo dobry sposób postrzegania swej rodzicielskiej roli. Dawaj dziecku dobry przykład, wspierając je nawet wówczas, gdy nie słucha się twoich poleceń. Twoja cierpliwość, miłość i pozytywne nastawienie sprawią, że łatwiej mu będzie nauczyć się współpracować u fryzjera.

Dialog z dzieckiem

Nie wymagaj. Nie mów:

„Co to znaczy, że nie chcesz się ostrzyc? Bądź cicho i natychmiast siadaj w fotelu!"

Twój brak zrozumienia dla uczuć dziecka sprawi, że trudniej będzie mu identyfikować swe emocje i radzić sobie z nimi. Straci także dla ciebie szacunek, a co za tym idzie, częściej będzie się buntować.

Zamiast tego zachęcaj do odzewu. Powiedz:

„Powiedz mi, co czujesz w środku, gdy fryzjer cię strzyże"

Prosząc dziecku o opisanie swych uczuć, utwierdzisz je w świadomości, że jest pełnowartościową osobą, a także dasz mu znać, że zależy ci na nim. Zawsze ucz swą pociechę, że to, co czuje, jest niezwykle ważne, zamiast z góry zakładać, że jej obawy są „dziwne" albo „niewłaściwe". Może ci się nie podobać to, że się boi, możesz także chcieć to zignorować, gdyż utrudnia ci realizację planów, jednak okazując dziecku empatię, sprawisz, że rzadziej będzie się buntować.

Nie zawstydzaj. Nie mów:

„Przynosisz mi wstyd, kiedy robisz sceny u fryzjera"

Nigdy nie mów dziecku, że przynosi ci wstyd. W ten sposób możesz jedynie wzmocnić jego obawy, a co więcej, to co mówisz może się stać samospełniającą się przepowiednią.

Zamiast tego okaż pozytywne nastawienie. Powiedz:

„Przykro mi, że nie lubisz chodzić do fryzjera. Pomyślmy, jak możesz się dobrze bawić, gdy będzie cię strzygł"

Naucz dziecko, że każde wyzwanie jest okazją do poszukiwania rozwiązań. Zachęć swą pociechę, by w trakcie strzyżenia grało z tobą w jakąś grę (np. wyliczankę)

Nie wyzywaj. Nie mów:

„Co to znaczy, że się boisz? Ale z ciebie tchórz!"

Jak byś się czuła, gdyby ktoś powiedział coś takiego do ciebie? Upokarzając dziecko, zwiększysz jedynie jego obawy, a także nauczysz je, jak szydzić z innych, gdy czegoś się boją. Powinnaś unikać tego za wszelką cenę.

Zamiast tego wesprzyj dziecko. Powiedz:

„Rozumiem, że się boisz, gdy fryzjer cię strzyże, ale wiem, że jesteś silny i dzielny, i na pewno sobie poradzisz"

Podkreślając odwagę dziecka, pomagasz mu zyskać pewność siebie i odporność psychiczną.

ROZDZIAŁ 36

„A teraz zmienimy ci pieluchę"
„Nie! Nie chcę nowej pieluchy!"

Jaki dwulatek chciałby przerwać zabawę tylko po to, by można mu było zmienić pieluchę? Ponieważ twoje dziecko nie dostrzega zapewne zasadności całego tego zamieszania, to do ciebie należy wykorzystanie tej sytuacji by nauczyć go współpracy. Niektóre rzeczy można robić, gdy się na nie ma ochotę – ale zmiana pieluchy to konieczność. Pokakanie dziecku, na czym polega ta różnica, to jeden z obowiązków troskliwego rodzica.

Przydatne wskazówki

- Sprawdzaj, czy dziecko nie ma wysypki ani innych dolegliwości, które mogą powodować przy zmianie pieluchy ból. Jeśli coś takiego wystąpi, natychmiast skontaktuj się z lekarzem.
- Podczas zmieniania pieluchy zabawiaj dziecko piosenkami lub wierszykami, albo też daj mu specjalną zabawkę.

Dialog ze sobą

Nie mów sobie:

„Ja też nie chcę tego robić. Dlaczego mi to utrudnia?"

Takie negatywne nastawienie wróży kłopoty. Gdy postrzegasz siebie jako ofiarę, komunikujesz dziecku, że to ono jest winne twojej przykrej sytuacji. Gdy poczuje twój żal, mniej chętnie będzie słuchać twych poleceń, chcąc cię za wszelką cenę unikać.

Zamiast tego powiedz sobie:

„Jestem w stanie znieść jeszcze kilka miesięcy zmieniania pieluch, nawet jeśli czasem muszę się przy tym zmagać z moim dzieckiem"

Utwierdzając się w tym przekonaniu, łatwiej uporasz się ze sprzeciwem dziecka, unikając niepotrzebnego stresu. Gdy zachowujesz spokój i cierpliwość, możesz z odpowiednim dystansem potraktować wiercenie i wyrywanie się malca podczas przewijania.

Nie mów sobie:

„Pozwolę mu nosić mokrą pieluchę, aż zacznie go piec pupa. Wtedy sam będzie chciał, żebym go przewinęła"

Myśląc w ten sposób, narażasz zdrowie swojego dziecka. Nigdy nie pozwalaj sobie na myśl, że fizyczne cierpienie może być dopuszczalną konsekwencją jego oporu.

Zamiast tego powiedz sobie:

„Rozumiem, dlaczego moje dziecko nie chce, żebym zmieniła mu pieluchę. Nie muszę się złościć z tego powodu"

Gdy dziecko nie chce współpracować, rozpoznanie jego zachowania jako *jego*, nie twojego problemu pomoże ci skupić się na jego, a nie twoich odczuciach. Łatwiej przyjdzie ci uczyć malca współpracy, gdy gniew nie będzie ograniczał twej zdolności rozwiązywania problemów.

Nie mów sobie:

„Muszę ją przewinąć zanim przyjedzie moja teściowa, bo w przeciwnym razie pomyśli, że jestem złą matką"

Zmieniaj maluchowi pieluchę, gdy tego potrzebuje, nie zaś dlatego, że jeśli tego nie zrobisz, ktoś może cię za to w jakiś sposób osądzić. Powinnaś mieć na względzie potrzeby dziecka, a nie czyjeś zdanie na twój temat.

Zamiast tego powiedz sobie:

„Nic mnie nie obchodzi, co moja teściowa myśli o moich decyzjach rodzicielskich"

Nie bierz pod uwagę zewnętrznej presji, by zajmować się dzieckiem w określony sposób. Dzięki temu będziesz stosować się do potrzeb malca, nie zaś osób trzecich.

Dialog z dzieckiem

Nie groź. Nie mów:

„Przestań się wyrywać, bo dostaniesz klapsa na gołą pupę!"

Gdy jesteś zła i sfrustrowana, takie słowa mogą ci się wydawać dobrym sposobem przekonania dziecka do współpracy. Jednak zwiększają one jedynie jego obawy, sprawiając, że zacznie krzyczeć jeszcze głośniej, lub też zamrze w bezruchu, bojąc się, że może cię wyprowadzić z równowagi. Ani jedno, ani drugie nie nauczy go robić tego, o co prosisz.

Zamiast tego okaż empatię. Powiedz:

„Wiem, że nie chcesz, żebym cię teraz przewinęła, ale muszę. Zróbmy to szybko, żebyś mógł wrócić do swoich zabawek"

Delikatnie zwracając uwagę dziecka na zabawę, która je czeka, zachęcisz je do współpracy. Obrócenie zmiany pieluchy w przyjemne przeżycie sprawi także, że malec przestanie się temu opierać. Przedstaw sytuację jako okazję do obdarowania malucha całusami, uściskami i miłością – nie zaś do krzywdzenia go.

Nie wpadaj w złość. Nie mów:

„Doprowadzasz mnie do wściekłości. Nie ruszaj się, żebym mogła cię wreszcie przewinąć!"

Twoje dziecko nie jest winne twojego gniewu – winę ponosisz wyłącznie ty! Wściekając się, nie nauczysz go współpracować. Przeciwnie: zwiększysz jedynie jego opór.

Zamiast tego okaż empatię:

„Przykro mi, że nie chcesz, żebym ci zmieniła pieluchę, ale to konieczne, bo czystość twojej pupy jest bardzo ważna"

Trzymaj się swojego planu, jednocześnie okazując zrozumienie dla uczuć dziecka. W ten sposób dasz mu dobry przykład współczucia i odpowiedzialności. Malec zaufa ci, gdy powiesz mu, jak dobrze poczuje się, gdy będzie czysty i suchy. Gdy zaś twoje wyjaśnienie sprawdzi się, zacznie ci wierzyć.

Nie przekupuj. Nie mów:

„Dam ci ciasteczko, jeśli pozwolisz mi się przewinąć"

Przekupując dziecko, nauczysz je, że za współpracę należy mu się nagroda.

Zamiast tego zaproponuj umowę. Powiedz:

„Kiedy skończymy zmieniać pieluchę, możemy iść do parku"

Przestrzegając Reguły Babuni, oboje możecie zrealizować swe priorytety – w ten sposób uczysz dziecko wypełniać swe obowiązki zanim zajmie się przyjemnościami. Zawieranie umów z twą pociechą to klucz do związku rodzic-dziecko, w którym obie strony wygrywają.

Nie poddawaj się. Nie mów:

„No dobrze, nie będę z tobą walczyć. Nie zmienię ci pieluchy, aż cię zacznie piec pupa. Wtedy będziesz żałował"

Nigdy nie gróź przykrymi konsekwencjami by zmotywować malca do współpracy. Poddając się, nie tylko uczysz go cofać się w obliczu przeciwności, ale także pokazujesz, że nie dbasz o niego na tyle, by pomóc mu uniknąć bólu, jaki niesie ze sobą podrażnienie skóry.

Zamiast tego daj dziecku lekcję. Powiedz:

„Jeśli teraz zmienię ci pieluchę, nie będzie cię piekła pupa"

Pomóż dziecku zrozumieć konsekwencje zmiany pieluchy. Wyjaśnij, jakie korzyści niesie ze sobą bycie czystym i suchym, żeby wiedziało, że nie odciągasz go bez powodu od zabawy, lecz masz na względzie jego dobro. Traktuj swą pociechę tak, jak sama chciałabyś być traktowana.

ROZDZIAŁ 37

„Umyj ręce”
„Nie! Nie chcę myć rąk!”

Szczególnie dla maluchów i przedszkolaków mycie rąk może być trudnym zadaniem. Woda płynie za szybko, nie mogą dosięgnąć do kranu, trudno im namydlić ręce, nie potrafią uruchomić dozownika mydła itd. Nic dziwnego, że małe dzieci opierają się przed myciem rąk. Chociaż twoja umywalka zapewne nie została zaprojektowana z myślą o przedszkolakach, tak czy inaczej twoje dziecko musi się nauczyć tej umiejętności. Dopilnuj, by wykształciło w sobie ten ważny nawyk, czyniąc z mycia rąk nie podlegający dyskusji element codziennej higieny.

Przydatne wskazówki

- Wprowadź zasady regulujące kiedy oraz jak często dziecko musi myć ręce.
- Postaw w łazience stołek, na który dziecko mogłoby wejść, by samodzielnie dosięgnąć umywalki.
- Zadbaj o to, by woda nie była cieplejsza niż 50°C, żeby uniknąć ryzyka oparzenia.
- Dawaj dobry przykład, często myjąc ręce i mówiąc o tym, jak ważne są zdrowie i czystość.
- Towarzysz dziecku, pilnując, by właściwie używało mydła i wody. Nie zapominaj pochwalić go za dobrze wykonane zadanie.
- Unikaj straszenia dziecka opowieściami o niebezpiecznych zarazkach i insektach żyjących na jego skórze.

Dialog ze sobą

Nie mów sobie:

„Kiedy moje dziecko wreszcie nauczy się samo myć ręce, bez mojego przypominania?”

Mimo że konieczność ciągłego przypominania malcowi, by umył ręce, może być frustrująca, nie trać pozytywnego nastawienia. Doskonalenie sztuki mycia rąk wymaga długich ćwiczeń.

Zamiast tego powiedz sobie:

„Potrafię sobie poradzić z koniecznością przypominania dziecku by umyło ręce"

Delikatne przypominanie maluchowi o jego obowiązkach nie musi być przykrym doświadczeniem – możesz robić to w sposób miły i pełen empatii. Utwierdzając się w przekonaniu, że jesteś w stanie poradzić sobie z odmową ze strony twojego dziecka, nabierasz sił, by zachować spokój w obliczu przeciwności.

Nie mów sobie:

„Mam po dziurki w nosie prób nakłonienia jej, żeby myła ręce przed obiadem. Wymyję jej je, gdy będę ją kąpać"

Nie poddawaj się! Rezygnacja z nauczenia dziecka mycia rąk może się negatywnie odbić na jego zdrowiu. Twoja pociecha musi nabrać tego ważnego nawyku z zakresu higieny osobistej.

Zamiast tego powiedz sobie:

„Rozumiem niechęć mojego dziecka do mycia rąk. Trudno mu dosięgnąć do kranu i namydlić łapki"

Jeśli okażesz zrozumienie dla trudności, jakie napotyka twoje dziecko, zachęcisz je do współpracy. Daj mu znać, że czasem ty też masz kłopoty z mydłem, ale nie poddajesz się, aż nie uda ci się osiągnąć celu.

Nie mów sobie:

„Jeśli nie uda mi się przekonać go, by mył ręce, wciąż będzie chory"

Nie wyolbrzymiaj ewentualnych konsekwencji. Obawiając się najgorszego, staniesz się bardziej nerwowa, a także zaczniesz wywierać na dziecko niezdrową presję. Uczenie poprzez strach to negatywna metoda czegoś, co można osiągnąć drogą pozytywną.

Zamiast tego powiedz sobie:

„Muszę mieć na względzie higienę, nawet wówczas, gdy moje dziecko wymiguje się od mycia rąk"

Pamiętając o swym długofalowym celu, łatwiej poradzisz sobie z doraźnym oporem ze strony dziecka. Pamiętaj o tym, ucząc – nie wymuszając stosowania – zdrowych nawyków z zakresu higieny osobistej.

Dialog z dzieckiem

Nie narzekaj. Nie mów:

„Prosiłam cię ładnie sześć razy. Właź do łazienki i umyj wreszcie te ręce"

Pamiętaj, że czasem dziecku trzeba o czymś przypomnieć kilka razy, zanim zdoła wykonać zadanie. Jeśli będziesz narzekać na ten fakt, dziecko „wyłączy się", całkowicie przestając cię słuchać.

Zamiast tego przypomnij o zasadzie. Powiedz:

„Co reguła mówi o myciu rąk, gdy idziesz do łazienki?"

Prosząc dziecko, by wyrecytowało ci regułę, przypominasz mu, co ma zrobić, a także utrwalasz w nim właściwy nawyk. Wcześniej czy później konieczność przypominania zniknie, gdyż odpowiednie zachowanie stanie się automatyczne.

Nie groź. Nie mów:

„Jeśli nie będziesz się słuchać i nie umyjesz rąk, pójdziesz do swojego pokoju"

Karząc dziecko wysłaniem do swojego pokoju za odmowę umycia rąk, spowodujesz jedynie, że czynność ta stanie się dla niego jeszcze bardziej nieprzyjemna, podczas gdy powinnaś robić wszystko, by ten ważny nawyk kojarzył mu się z dobrą zabawą. Co więcej, w swoim pokoju malec nie nauczy się myć rąk.

Zamiast tego chwal współpracę. Powiedz:

„Dziękuję, że idziesz do łazienki umyć ręce. Jeśli chcesz, pomogę ci włączyć kran"

Chwaląc postępy dziecka, przypominasz mu o ostatecznym celu, a także zachęcasz je do wykonania zadania do samego końca.

Nie poddawaj się. Nie mów:

„Nic mnie nie obchodzi, czy będziesz myć ręce, ale jak zachorujesz, sama sobie będziesz winna"

Twój brak zainteresowania rani dziecko i nie ułatwia mu zrozumienia związku między myciem rąk i zdrowiem. Czyniąc swą miłość surową, możesz na krótką metę nakłonić malca do posłuszeństwa, jednak nie nauczysz go w ten sposób wartości współpracy. Twoje dziecko musi mieć pewność, że twa miłość jest bezwarunkowa.

Zamiast tego przypomnij o zasadzie. Powiedz:

„Rozumiem, że konieczność mycia rąk, gdy jesteś już głodna, może być denerwująca, ale zgodnie z regułą, musimy to robić przed posiłkiem"

Trzymaj się reguły, jednocześnie dając dobry przykład empatii i konsekwencji. Dziecko wyciągnie z tej lekcji wnioski.

ROZDZIAŁ 38

„Czas obciąć paznokcie" „Nie! Nie chcę, żebyś mi obcinała paznokcie!"

Strach przed obcinaniem paznokci często rodzi się we wczesnym dzieciństwie, kiedy jedna wpadka wystarczy, by malec nabrał przekonania, że nie jest to przyjemne przeżycie. By zaradzić oporowi dziecka, pokaż mu, jak ty obcinasz paznokcie, by zobaczyło, że cały zabieg jest całkowicie bezpieczny. Możesz także bawić się z nim w manikiurowe zabawy, które zmniejszą jego nerwowość. Niech obcinanie paznokci będzie rutynowym elementem zabiegów higienicznych. Dzięki temu malec będzie miał świadomość, że jest to kolejne nie podlegające dyskusji zadanie, które musi zostać wykonane.

Przydatne wskazówki

- Wybierz na obcinanie paznokci moment, gdy dziecko nie będzie musiało przerywać ulubionej czynności – rób to na przykład przed kąpielą lub położeniem malca spać.
- Unikaj obcinania dziecku paznokci, gdy jest zmęczone lub złe. W takich chwilach jest mu trudniej wysiedzieć spokojnie, a co za tym idzie, łatwiej o przykry przypadek.

Dialog ze sobą

Nie mów sobie:

„Musi zrobić, co mu każę... natychmiast!"

Wymagając od dziecka natychmiastowego posłuszeństwa, doprowadzisz do otwartej wojny. Przedstawiaj swe polecenia jako coś, co *chciałabyś*, by dziecko zrobiło – w ten sposób podejdziesz do sytuacji w sposób subtelniejszy, bardziej wrażliwy. Dzięki temu łatwiej będzie ci nakłonić malca do współpracy.

Zamiast tego powiedz sobie:

„Żądając od mojego dziecka współpracy, nie poprawię sytuacji"

Spróbuj zrozumieć, że wywieranie na dziecko autorytarnych nacisków wywoła negatywną reakcję z jego strony. Zamiast tak postępować, wymyśl, jak mogłoby brać czynny udział w wykonywaniu zadania. Możesz je na przykład poprosić, by potrzymało ci nożyczki, gdy ty przygotowujesz się do obcinania paznokci.

Nie mów sobie:

„Moje dziecko jest tak uparte, że czasem aż trudno mi dalej je lubić"

Pamiętaj, żeby nigdy nie identyfikować dziecka z jego zachowaniem. Może ci się nie podobać, że odmawia współpracy, ale kochasz je bezwarunkowo. Zrób wszystko, by o tym wiedziało.

Zamiast tego powiedz sobie:

„Może nie podoba mi się jego opór, gdy chcę mu obciąć paznokcie, ale zawsze uwielbiam moje dziecko"

Powtarzaj sobie te słowa, kiedykolwiek złości cię dziecięcy bunt. Dzięki temu przypomnisz sobie, co jest najważniejsze.

Nie mów sobie:

„Nic mnie nie obchodzi, czy będzie miała obcięte paznokcie. Równie dobrze może je sobie obgryźć, wszystko mi jedno"

Poddając się, pokażesz dziecku, jak uchylać się od obowiązków w obliczu przeciwności. Dodatkowo wyrobisz w nim niedobry nawyk obgryzania paznokci.

Zamiast tego powiedz sobie:

„Muszę okazywać cierpliwość i zrozumienie, gdy pomagam dziecku dbać o siebie"

Choć priorytety dziecka mogą być sprzeczne z twoimi, nie zbaczaj ze swej drogi. Twoim obowiązkiem jest okazać zrozumienie i cierpliwość.

Nie mów sobie:

„Co będzie, gdy moja matka zobaczy długie paznokcie mojego dziecka? Pomyśli, że je zaniedbuję"

Staraj się pamiętać, że decyzje związane z dzieckiem musisz opierać na tym, co dla niego dobre. Powtarzaj to sobie (oraz każdej innej osobie, jeśli to konieczne) często, by nabrać pewności siebie.

Zamiast tego powtarzaj sobie:

„To nic, jeśli nawet moja matka pomyśli, że moje dziecko ma zbyt długie paznokcie"

Jeśli ugniesz się pod presją społeczną, może zdarzyć się tak, że zamiast stosować pozytywne strategie, by skłonić dziecko do współpracy, będziesz od niego żądać posłuszeństwa. Jako rodzic, musisz nauczyć się polegać na swych własnych instynktach i doświadczeniu.

Dialog z dzieckiem

Nie bądź agresywna. Nie mów:

„Obetnę ci paznokcie, czy ci się to podoba czy nie, więc się nie ruszaj"

Taka dyktatorska postawa szkodzi wszystkim zainteresowanym. Jest wówczas bardzo prawdopodobne, że jeśli będziesz je próbowała przytrzymywać, dziecko zacznie się jeszcze silniej wiercić.

Zamiast tego zachęcaj do odzewu. Powiedz:

„Pomóż mi zrozumieć, dlaczego nie chcesz, żebym ci obcięła paznokcie"

Pytanie dziecka o powód sprzeciwu, nie tylko pomoże ci zrozumieć jego sposób myślenia, ale także sprawi, że malec poczuje się pełnoprawną osobą. Zarówno jedno, jak i drugie sprawi, że chętniej będzie z tobą współpracował. Gdy dowiesz się, co go trapi, łatwiej będzie ci zaradzić problemowi i wykonać zadanie.

Nie groź. Nie mów:

„Jeśli nie dasz mi obciąć sobie paznokci, resztę dnia spędzisz w swoim pokoju"

Grożąc dziecku izolacją w pokoju, nie nauczysz go, jak robić to, co musi zrobić. Nadwerężysz jedynie łączącą was więź oraz dasz mu do zrozumienia, że za niewykonanie twoich poleceń czeka go kara. Gdy malec nie chce z tobą współpracować, musisz go nauczyć, jak ukończyć zadanie, oraz zmotywować go do wykonywania twoich poleceń.

Zamiast tego zaproponuj zabawę. Powiedz:

„Zabawmy się w manikiur. Przygotuję stół, żebyśmy mogli ci obciąć paznokcie"

Przemieniając obcinanie paznokci w zabawę, sprawisz, że zabieg ten stanie się przyjemny. Wszystko może wam się udać, jeśli podejdziecie do tego z miłością i uśmiechem.

Nie strasz. Nie mów:

„Jeśli nie dasz mi obciąć sobie paznokci, urosną długie, kogoś podrapiesz i będziesz miała kłopoty"

Grożąc dziecku przykrymi społecznymi konsekwencjami, możesz je zastraszyć tak, że zrobi to, czego od niego oczekujesz. Nie nauczysz go jednak, jaki jest właściwy powód konieczności współpracy.

Zamiast tego okaż empatię. Powiedz:

„Obcinanie paznokci jest bardzo ważne, żeby przypadkiem kogoś nie podrapać. Tego byśmy nie chcieli"

Odwołaj się do wrodzonej empatii dziecka, tak by zrozumiało znaczenie utrzymywania higieny paznokci dla bezpieczeństwa własnego oraz innych.

ROZDZIAŁ 39

„A teraz umyjemy głowę" „Nie! Nie chcę myć głowy!"

Szampon w oczach. Szampon w uszach. Szampon w ustach. Jaka w ogóle jest korzyść z całego tego mycia głowy? Dla twojego trzylatka idea czystych włosów nie jest wystarczającym uzasadnieniem wszystkich tych „męczarni". Gdy dziecko głośno się sprzeciwia, dowiedz się, która faza zabiegu sprawia mu przykrość. Następnie postaraj się rozwiązać problem, nie tracąc jednak z oczu ostatecznego celu.

Przydatne wskazówki

- Myj dziecku głowę, zanim będzie zbyt zmęczone – najlepiej zaraz po tym, jak wejdzie do wanny, by mieć to od razu za sobą.
- Niech dziecko samo wybiera sobie szampon, żeby mieć trochę kontroli nad sytuacją.
- Zachęcaj je, by przykryło oczy i uszy ręcznikiem lub ścierką, tak by nie dostał się tam szampon.
- Pozwól dziecku samodzielnie spłukiwać włosy, by brało czynny udział w przedsięwzięciu.

Dialog ze sobą

Nie mów sobie:

„Moje dziecko doprowadza mnie do wścieklizny tymi ciągłymi awanturami o mycie głowy"

Czyniąc dziecko odpowiedzialnym za twoje nastroje, tracisz kontrolę nad własnymi uczuciami.

Zamiast tego powiedz sobie:

„Złość nie pomoże żadnemu z nas"

Jeśli zachowasz spokój, oboje możecie nauczyć się czegoś o samokontroli. Pomyśl, że mycie głowy może być okazją do puszczania baniek mydlanych i wymyślania szalonych fryzur, a nie do łez.

Nie mów sobie:

„Mam dość bitew. Nic mnie nie obchodzi, czy w ogóle umyje głowę"

Nie unikaj zadania tylko dlatego, że twoje dziecko się opiera. Jeśli się poddasz, nie tylko odbije się to negatywnie na zdrowiu malca, ale także nauczy go, by rezygnować w obliczu przeciwności.

Zamiast tego powiedz sobie:

„Moim celem jest pomoc dziecku w poradzeniu sobie z rzeczami, których nie lubi"

Pamiętając o swym długofalowym celu, łatwiej opanujesz opór dziecka i znajdziesz metody zachęcenia go do współpracy. Tu nie chodzi tylko o mycie głowy, ale o to, byś ty i twoje dziecko znajdowali sposoby wspólnej pracy w zespole.

Nie mów sobie:

„Muszę umyć dziecko, zanim zobaczy je moja matka. Zawsze mnie krytykuje, gdy jest brudne"

Robiąc coś, by komuś się przypodobać, ulegasz znacznej presji. Jest ci wówczas trudniej robić to, co najlepsze dla dziecka. Trzymaj swą matkę z dala od twoich spraw.

Zamiast tego powiedz:

„Rozwijam się jako rodzic, gdy pomagam dziecku radzić sobie z myciem głowy"

Pomagając dziecku w nauce współpracy, sama uczysz się nowych sposobów radzenia sobie w różnych sytuacjach. Jednym z wielkich darów, jakie niesie ze sobą rodzicielstwo, jest to, że nasze dzieci uczą nas, jak przezwyciężać wyzwania, jakie stawia przed nami życie, w miarę, jak my uczymy ich tego samego.

Nie mów sobie:

*„Dlaczego nie może po prostu się słuchać?
Jestem zbyt zestresowana, by znosić te bzdury!"*

Żądanie, by przedszkolak sam z siebie chciał współpracować, jest skazane na porażkę. Dziecko w tym wieku z natury zajmuje się własnymi potrzebami i nie dba o twoje. Kiedy zrozumiesz, że takie zachowanie jest właściwe na tym etapie rozwoju, twój stres zmaleje.

Zamiast tego powiedz sobie:

„Wiem, że może się bać, gdy woda i szampon spływa jej po twarzy"

Okazując zrozumienie, wyślesz dziecku komunikat miłości i cierpliwości – a są to dwie cechy, które mogą sprawić, że dziecko chętniej podda się nieprzyjemnej czynności.

Dialog z dzieckiem

Nie bądź nieczuła. Nie mów:

*„Nic mnie nie obchodzi, że się boisz mydła i wody.
To twój problem"*

Choć jesteś zdeterminowana, by umyć dziecku głowę, mimo że protestuje, nie używaj takiego języka. Twój brak empatii sygnalizuje dziecku, że nie wesprzesz go, gdy będzie smutne lub przestraszone.

Zamiast tego zaproponuj pomoc. Powiedz:

„Rozumiem, że nie lubisz mycia głowy, ale musimy zadbać, by twoje włosy były czyste. Będę delikatna i postaram się, żeby szampon nie dostał ci się do oczu"

Pokaż dziecku, że jesteś po jego stronie. Wszystko jest możliwe, gdy ma twoje wsparcie.

Nie bagatelizuj uczuć dziecka. Nie mów:

„Czego beczysz? Nie wygłupiaj się, ja ci tylko umyję głowę"

Dziecko może myśleć, że za chwilę stanie mu się krzywda, zatem mówiąc mu, że się „wygłupia", dyskredytujesz jego uczucia i wzmacniasz opór. Dajesz również znać, że twoja miłość zależy od tego, czy malec zrobi to, czego od niego oczekujesz – to kolejny przykry sygnał, który może zaszkodzić łączącej was więzi oraz negatywnie wpłynąć na jego motywację do współpracy.

Zamiast tego przedstaw rozwiązania. Powiedz:

„Boisz się, że szampon dostanie ci się do oczu – rozumiem to. Przykryj oczy ścierką, a wszystko będzie dobrze"

Powiedz dziecku, że rozumiesz jego obawy i że ochronisz je przed krzywdą – a następnie dotrzymaj tej obietnicy.

Nie przekupuj. Nie mów:

„Jeśli pozwolisz sobie umyć włosy, dam ci lizaka"

Przekupując dziecko, uczysz je, by za współpracę oczekiwało nagrody, podczas gdy powinnaś mu pokazywać wartość współpracy jako takiej. Przekupstwem można osiągnąć chwilowe rezultaty, ale nie wykształci się trwałych nawyków. Nie nauczy się także zachować opartych na współpracy.

Zamiast tego zastosuj Regułę Babuni. Powiedz:

„Kiedy skończę ci myć głowę, możesz się trochę pobawić zabawkami, zanim wyjdziesz z wanny"

Reguła Babuni uczy dziecko, że praca zawsze poprzedza zabawę, a także że przyjęcie odpowiedzialności sprawia, że wszyscy są szczęśliwi.

ROZDZIAŁ 40

„Musisz wytrzeć nos"
„Nie! Nie chcę wycierać nosa!"

Nie możesz uwierzyć własnym uszom. Twój trzylatek nie chce robić wielu rzeczy, ale dlaczego wycieranie nosa jest jedną z nich? Dziecko może ci powiedzieć, że się boi („Nos mi odpadnie!"), że się tego brzydzi („To jest obleśne!") albo że jest to nieprzyjemne („Aua! To boli!"). Jakkolwiek zareaguje, twoim zadaniem jest delikatnie pokierować nim tak, by nauczyło się kolejnej ważnej umiejętności. Z czasem jego strach minie dokładnie tak, jak jego katar.

Przydatne wskazówki

- Upewnij się, że używasz najbardziej miękkich chusteczek dostępnych na rynku.
- Niech chusteczki leżą w wygodnych miejscach w całym domu, by dziecko nauczyło się korzystać z nich, gdy tylko potrzebuje.
- Pokazuj, jak prawidłowo wydmuchiwać nos, by dziecko mogło się tego nauczyć.

Dialog ze sobą

Nie mów sobie:

„Cóż jest takiego trudnego w wycieraniu nosa?"

Brak umiejętności lub chęci zobaczenia świata z perspektywy dziecka uniemożliwi ci nauczenie go współpracy.

Zamiast tego powiedz sobie:

„Rozumiem jego niechęć do wycierania nosa, gdy jest taki czerwony i podrażniony"

Zrozum, co czuje twoje dziecko. Gdy będzie wiedziało, że jesteś po jego stronie, chętniej będzie wykonywało twoje polecenia.

Nie mów sobie:

„Niechby mu nawet ściekały smarki po twarzy! Mam dość walczenia z nim, żeby wytarł nos"

Możesz postrzegać rodzicielstwo jako nieskończony cykl irytujących epizodów, lub też traktować je jako interesujące lekcje ludzkiego zachowania. Wybór tej drugiej perspektywy pomoże ci nauczyć dziecko współpracy.

Zamiast tego powiedz sobie:

„Muszę się skupić na długofalowym celu, którym jest nauczenie mojego dziecka higieny"

Przypominając sobie o głównym celu, jaki ci przyświeca, nie będziesz się złościć drobnymi potyczkami. Twoim priorytetem jest nauczenie dziecka trudnej sztuki wycierania nosa. Ono z kolei zainteresowane jest tym, by uniknąć bólu i dyskomfortu. Pracując wspólnie, zrealizujecie oba te cele.

Nie mów sobie:

„Co pomyślą ludzie, gdy zobaczą moje dziecko całe zasmarkane"

Skup się na tym, co najważniejsze dla twojego dziecka, nie na tym, co myślą inni ludzie. Jeśli maluch nie nadąża z wycieraniem nosa – to nic. Nie wpadaj w paranoję na punkcie tego, jak otoczenie ocenia twoją rodzinę.

Zamiast tego powiedz sobie:

„Nie mogę sobie zaprzątać głowy tym, co myślą inni"

Pozbywając się ze świadomości wyimaginowanych myśli innych, obniżysz swój poziom stresu. Jeśli zachowasz spokój, jest bardzo prawdopodobne, że to samo uczyni twoje dziecko. Ty będziesz skuteczniejszym nauczycielem, ono zaś będzie w lepszym nastroju do nauki.

Dialog z dzieckiem

Nie zawstydzaj. Nie mów:

„Twój nos wygląda obrzydliwie.
Natychmiast weź chusteczkę i go wytrzyj!"

Nie mów dziecku, że jego nos budzi w tobie obrzydzenie, nawet jeśli istotnie tak jest. Bardzo ważne jest, żebyś zachowywała dla siebie wszelkie negatywne opinie – nie chcesz przecież zranić jego uczuć. Zawstydzając dziecko, dajesz mu jedynie przykład złego zachowania. Nie zbliżasz się natomiast do realizacji swego długofalowego celu.

Zamiast tego okaż empatię. Powiedz:

„Rozumiem, że nie chcesz wytrzeć nosa.
Ale kiedy cieknie, zarazki mogą podrażnić ci usta"

Nie ma powodu do kłótni. Po prostu miej zawsze pod ręką paczkę chusteczek, pomóż mu wytrzeć nos i okaż mu dużo miłości i czułości. Oboje poczujecie się lepiej.

Nie zrzędź. Nie mów:

„Ile razy muszę ci powtarzać żebyś wytarł nos?
Natychmiast to zrób!"

Choć frustracja może cię kusić do zadania dziecku pytania bez odpowiedzi, nie rób tego. Dasz mu w ten sposób jedynie niepożądaną wiadomość, że jest dla ciebie ciężarem. Nie nauczy go to natomiast współpracy.

Zamiast tego naucz dziecko umiejętności. Powiedz:

„Pokażę ci, jak delikatnie wydmuchać nos,
tak żeby nie robił się bardziej czerwony i podrażniony"

Skoncentruj się na rozwiązaniu, nie na problemie. Twoja obietnica delikatności oraz fakt, że zauważyłaś podrażnienie, są dla malca sygnałem, że interesują cię jego uczucia.

Nie gróź. Nie mów:

„Jeśli będę tam musiała przyjść i wytrzeć ci nos, pożałujesz"

Nie stosuj gróźb, by skłonić dziecko do dbania o siebie. Nakłonisz je jedynie do sprawdzenia, czy nie blefujesz – a wówczas będziesz musiała dotrzymać słowa i ukarać je w jakiś sposób. Twoja uwaga – nieważne czy pozytywna, czy negatywna – jest tym, czego malec pragnie najbardziej. Nie kuś go, by sprzeciwiał ci się tylko po to, by ją na siebie zwrócić.

Zamiast tego zaproponuj umowę. Powiedz:

„Kiedy wytrzesz nos, możesz wrócić do zabawy"

Dzieci nie lubią, gdy im się przeszkadza w zabawie, zatem obiecaj swej pociesze, że jego priorytety zostaną spełnione, jak tylko ona spełni twoje.

Nie strasz. Nie mów:

„Nikt cię nie będzie lubił, jeśli ci będzie ciekło z nosa"

Nie okłamuj dziecka, by szokiem zmusić je do współpracy. Takim postępowaniem uczysz je, jak posługiwać się przesadą, by zwrócić na siebie czyjąś uwagę. Grożąc malcowi izolacją społeczną, nie zmotywujesz go do przestrzegania zasad higieny.

Zamiast tego chwal współpracę. Powiedz:

„Dziękuję ci za wzięcie chusteczki. Twój nosek poczuje się dużo lepiej, kiedy go wytrzesz"

Chwaląc *jakiekolwiek* objawy współpracy ze strony twojego dziecka, zachęcasz ja do kontynuacji takiego zachowania. Życzliwa uwaga z twojej strony sprawi, że maluch poczuje się dumny ze swojego dokonania.

ROZDZIAŁ 41

„Muszę cię uczesać”
„Nie! Nie chcę, żebyś mnie czesała!”

Dzień zaczyna się w idealnej harmonii... aż do chwili gdy wspominasz swej trzyletniej córeczce, że musisz ją uczesać. Krzyczy! Ucieka! Bitwa rozpoczyna się! Uniknij tej utarczki, ucząc dziecko, jak spojrzeć na czesanie z innej perspektywy. Łatwo zrozumieć, że nie chce siedzieć bez ruchu lub że spinka do włosów sprawia jej ból. Pozwól jej zatem wybrać spinki, zdecydować, czy chce używać szczotki czy grzebienia itp. Ucząc ją nawyków związanych z pielęgnacją włosów, bądź jej sojusznikiem, nie wrogiem.

Przydatne wskazówki

- Ustal zasadę, że włosy twojego dziecka muszą być czesane codziennie.
- Zawsze zapewnij odpowiednio dużo czasu na czesanie dziecka, tak by nigdy nie trzeba się było spieszyć.
- Wybieraj grzebienie i szczotki, które są łatwe w użyciu.
- Niech twoje dziecko bierze udział w podejmowaniu decyzji dotyczących jego fryzury.

Dialog ze sobą

Nie mów sobie:

„Nie chcę, żeby moje dziecko było na mnie złe, więc już nigdy nie będę go czesać”

Współodczuwanie z twoim dzieckiem to dobra rzecz, jednak nie pozwól, by przeszkodziło ci w robieniu tego, co dla niego najlepsze. Gdy maluch protestuje, unikaj podejścia w stylu „wszystko albo nic”. Jego opór nie ma z tobą nic wspólnego – świadczy zaś o tym, że dziecko ma za mało kontroli nad sytuacją (oraz że szczotka rani je w głowę).

Zamiast tego powiedz sobie:

„Nie będę oceniać swojej wartości jako rodzica według tego, jak moje dziecko reaguje na zasady, które ustalam"

Nie łącz swej rodzicielskiej samooceny z zachowaniem twojego dziecka. Dzięki temu unikniesz niepotrzebnej nerwowości oraz z większą łatwością nabierzesz bardziej zdystansowanego podejścia do protestów twej pociechy. Może nie zawsze kocha zasady, które ustalasz, jednak kocha ciebie.

Nie mów sobie:

„Wyglądałaby tak uroczo, gdyby pozwoliła sobie ułożyć włosy tak, jak moja mama układała je mnie"

Propozycja uroczej fryzury jest jak najbardziej na miejscu, jednak unikaj porównywania siebie do twojego dziecka. Co pasowało tobie, nie musi się spodobać jej.

Zamiast tego powiedz sobie:

„To, że ja uwielbiałam nosić kucyk, nie znaczy, że moje dziecko też musi to lubić"

Twoje dziecko nie jest tobą, zatem jego gusta będą się różniły od twoich. Przedstawiaj mu propozycje, ale niech ono samo podejmuje decyzje.

Nie mów sobie:

„Nie mogę jej puścić do przedszkola z takimi włosami"

Martwienie się o to, co pomyśli wychowawczyni twojego dziecka, to strata czasu. Naprawdę się liczy to, co o swej fryzurze sądzi twoje dziecko.

Zamiast tego powiedz sobie:

„Moje dziecko musi się nauczyć, jak podejmować decyzje odnośnie swojej fryzury"

Jeśli zrozumiesz, że dziecko samo musi podejmować decyzje, lepiej przygotujesz je do podejmowania mądrych decyzji przez całe życie.

Słuchaj opinii swej pociechy, doceniaj je jak najczęściej. To *jej* włosy, nie twoje. Niech cieszy się z tego faktu.

Dialog z dzieckiem

Nie wzbudzaj poczucia winy. Nie mów:

„Nie mogę się doczekać, aż sama będziesz miała córkę, która będzie ci robiła taką awanturę o włosy jak ty mnie"

Przykre przepowiednie nie nauczą twojego dziecka współpracy. Przeciwnie, będą stanowiły dla niego niemiłą informację, że jego zachowanie zawsze musi ci się podobać.

Zamiast tego przypomnij o zasadzie. Powiedz:

„Reguła mówi, że muszę ci ułożyć włosy, zanim pojedziesz do taty"

Gdy stosujesz regułę w roli „żandarma", dziecko skupia się na niej, nie na tobie.

Nie podchodź do sprawy osobiście. Nie mów:

„Wygląda na to, że niczego nie potrafię dobrze zrobić"

Odmowa twojego dziecka nie jest krytyką twoich umiejętności jako matki, ani jako stylistki. Oznacza po prostu, że mała chce sama zdecydować, jak powinna wyglądać jej fryzura.

Zamiast tego obróć sytuację w zabawę. Powiedz:

„Zabawmy się w salon piękności. Ja ułożę włosy tobie, a ty mnie"

Czyniąc z czesania przyjemną zabawę, neutralizujesz konflikt oraz pozwalasz dziecku czynnie uczestniczyć zarówno w podejmowaniu decyzji, jak i w samym układaniu włosów.

Nie wyszydzaj. Nie mów:

„Proszę bardzo, załóż tę idiotyczną spinkę. To nic, że wygląda głupio"

Nie porzucaj prób pomocy dziecku w doskonaleniu nawyków w zakresie pielęgnacji włosów. Jeśli się poddasz, pokażesz mu, że jest to właściwe postępowanie, gdy rzeczy nie idą po naszej myśli.

Zamiast tego chwal współpracę. Powiedz:

„Dziękuję, że siedzisz tak spokojnie i pozwalasz mi ułożyć swoje włosy"

Chwaląc posłuszeństwo dziecka, zachęcasz je do dalszej współpracy w przyszłości. Nic nie motywuje go bardziej niż twoja aprobata i wsparcie.

Nie wpadaj w gniew. Nie mów:

„Przestań wrzeszczeć! Doprowadzasz mnie do szału!"

Gdy mówisz dziecku, że jego opór jest przyczyną twojego gniewu, zmniejszasz jego zdolność do odczuwania empatii wobec innych. Nie zrozumie twojego stanowiska, w naturalnym odruchu obronnym winiąc ciebie za to, że to ty pierwsza zadałaś jej ból. Pamiętaj: to ty decydujesz, czy wpaść w gniew, czy nie.

Zamiast tego zaproponuj umowę. Powiedz:

„Kiedy skończymy czesać twoje włosy, możesz pobawić się zabawkami"

Stosując w ten sposób Regułę Babuni, uczysz dziecko, że musi zrobić to, co konieczne, by móc zająć się tym, co lubi. Pokazujesz mu również, że na współpracy wszyscy wygrywają. Obie będziecie się czuć dobrze, gdy wasze priorytety zostaną zrealizowane – ta lekcja okaże się w późniejszym życiu dziecka bardzo przydatna.

CZĘŚĆ VII

NAUKA

Największym odkryciem mego pokolenia jest to,
że ludzie mogą zmieniać swe życie,
zmieniając swe nastawienie.

—William James

ROZDZIAŁ 42

„Czas iść do przedszkola" „Nie! Nie chcę iść do przedszkola!"

Przedszkolny bojkot może przyjąć różne formy: dziecko może chcieć zostać w łóżku, narzekać na ból brzucha, skarżyć się na wychowawców i kolegów, którzy są „źli" i go „nie lubią" itp. Słuchaj uważnie jego skarg, by móc porozmawiać z wychowawcą o źródle problemu. Jeśli maluch nabierze przekonania, że jesteś po jego stronie, będzie się czuł swobodniej, kiedy będzie cię potrzebował prosić o pomoc. Wiedząc, że poważnie traktujesz jego obawy, chętniej nawiąże z tobą współpracę.

Przydatne wskazówki

- Zanim zapiszesz dziecko do przedszkola, odwiedź je wraz z nim, by przekonać się, czy będzie mu tam dobrze. Porozmawiaj z dyrektorem i wychowawcami, omów ich filozofię edukacyjną oraz przyjrzyj się zajęciom.
- Niech dziecko spędza trochę (choćby niedużo) czasu z dala od ciebie, by przyzwyczaić się, że nie zawsze będziesz przy nim.
- Pozostawaj w kontakcie z wychowawcami, by móc neutralizować drobne problemy, zanim staną się poważne.
- Zamiast mówić: „*musimy* iść do przedszkola", mów raczej: „*pora* iść do przedszkola".
- Ustal odpowiednie zasady, by dziecko rozumiało, w które dni chodzi do przedszkola, a w które zostaje w domu.

Dialog ze sobą

Nie mów sobie:

„Co z nim? O wszystko robi awantury"

Wyolbrzymiając problem, poczujesz się nim przytłoczona i bezradna.

Zamiast tego powiedz sobie:

„Rozumiem, że chce zostać w domu. Ja też często bym chciała"

Twoje dziecko chętnie będzie współpracować z kimś, kto rozumie jego uczucia.

Nie mów sobie:

„On sprawia, że czuję się winna, gdy muszę iść do pracy, a jego wysłać do przedszkola"

Poczucie winy spowodowane tym, że musisz pracować, nie pomoże dziecku nauczyć się radzić sobie z rozłąką. Wina rodzi się wtedy, gdy myślisz, że zrobiłaś coś źle. Powiedz sobie zatem, że chodzisz do pracy i wysyłasz dziecko do przedszkola, gdyż leży to w interesie twojej rodziny. Pamiętaj także, by nie winić dziecka za uczucia, które tworzysz ty sama.

Zamiast tego powiedz sobie:

„Mimo że tęsknię za nim, gdy jest w przedszkolu, cieszę się, że możemy go tam posyłać"

Mówiąc sobie, że cieszy cię szansa, z której korzysta twoje dziecko, wysyłasz do niego podobny komunikat. Twój entuzjazm będzie zaraźliwy!

Nie mów sobie:

„Co sobie pomyślą jego wychowawcy, jeśli nie wyślę go do przedszkola?"

Zmartwienia zaczynają się od pytania z gatunku „co będzie, jeśli". Prowadzą one do niekończących się spekulacji, co może się wydarzyć w sytuacjach, które są poza zasięgiem twojej kontroli.

Zamiast tego powiedz sobie:

„Moim celem jest pomoc dziecku w pokochaniu nauki"

Wychowawcy w przedszkolu podzielają twoje pragnienie wspierania rozwoju dziecka w zakresie nauki i zachowań społecznych, więc traktuj ich jako swoich sprzymierzeńców. Pamiętając o długoterminowych celach, łatwiej przezwyciężysz opór dziecka.

Nie mów sobie:

„Nie mogę znieść, jak płacze, więc pozwolę mu zostać w domu"

Jeśli się poddasz, nauczysz dziecko, by awanturowało się, żeby dostać to, czego chce.

Zamiast tego powiedz sobie:

„Opór mojego dziecka przed pójściem do przedszkola nie oznacza, że nie lubi się uczyć"

Spójrz na problem z właściwej perspektywy. Dostosowanie się do przedszkola jest dla większości dzieci sporym wyzwaniem.

Dialog z dzieckiem

Nie zawstydzaj. Nie mów:

„Co to ma znaczyć, że nie chcesz iść do przedszkola? Płacę spore pieniądze, żebyś mogła tam chodzić!"

Przypominając dziecku o swym poświęceniu, po to by zmusić je do posłuszeństwa, wzbudzając w nim poczucie wstydu, nie odkryjesz, co je trapi. Malec poczuje do ciebie urazę – to jedyny skutek, jaki w ten sposób osiągniesz.

Zamiast tego zachęć do odzewu. Powiedz:

„Pomóż mi zrozumieć, dlaczego nie chcesz iść do przedszkola"

Prosząc dziecko, by opowiedziało ci o swych obawach, nie tylko dajesz mu znak, że zależy ci na nim, ale również ułatwiasz sobie zadanie zidentyfikowania i rozwiązania problemu.

Nie wymagaj. Nie mów:

„Pójdziesz do przedszkola, czy tego chcesz, czy nie. A teraz idź się przygotuj"

Żądanie posłuszeństwa twojego dziecka skazane jest na porażkę, gdyż zakłada, że możesz kontrolować jego zachowanie – podczas gdy w istocie nie możesz. Brak empatii z twojej strony pokazuje mu natomiast, że nie interesują cię jego uczucia.

Zamiast tego zwróć uwagę dziecka na coś innego. Powiedz:

„Pomyśl o wszystkich tych fajnych rzeczach, które będziesz robić w przedszkolu. Jeśli nie pójdziesz, ominie cię cała zabawa"

Pomagając dziecku skupić się na przyjemnościach, które je czekają, sprawisz, że bieżący problem stanie się mniej istotny. Dzięki temu malec zobaczy sytuację w nowym świetle.

Nie poddawaj się. Nie mów:

„No dobrze, zostań w domu. Dla mnie możesz nawet nigdy nie pójść do przedszkola"

Mówiąc dziecku, że nie interesuje cię ono oraz jego edukacja, nauczysz je, by nie dbało o uczucia innych oraz by poddawało się w obliczu przeciwności. Możesz uważać, że malec będzie szczęśliwy, jeśli mu ulegniesz, jednak tym, czego naprawdę potrzebuje, jest rozwianie jego obaw związanych z przedszkolem.

Zamiast tego zachowaj pozytywne nastawienie. Powiedz:

„Oboje idziemy dzisiaj do pracy. Ja do swojej, a ty do swojej – w przedszkolu. Zobaczymy się po pracy"

Gdy dodasz nutkę optymizmu do myśli o waszej rozłące, obojgu z was łatwiej będzie sobie poradzić z tą sytuacją. Dziecku udzieli się twoja empatia oraz duch pracy zespołowej, a dzięki temu zrozumie, że macie coś wspólnego – odpowiedzialność za obowiązek wykonywania swej pracy.

Nie przekupuj. Nie mów:

„Jeśli pójdziesz dziś do przedszkola, kiedy wrócisz do domu, dostaniesz nową zabawkę"

Przekupstwem mówisz dziecku, że za wykonywanie twoich próśb powinno oczekiwać materialnej nagrody. Perspektywa zabawy z kolegami i troskliwej opieki wychowawcy powinna być dla niego wystarczającą motywacją.

Zamiast tego zaproponuj umowę. Powiedz:

„Wiem, że chcesz się dziś pobawić puzzlami. Gdy pójdziesz do przedszkola, możesz panią o to poprosić"

Użyj Reguły Babuni, by zmotywować dziecko i przypomnieć mu, że kiedy zrobi to, co musi, może robić to, na co ma ochotę (oczywiście w granicach rozsądku).

Nie gróź. Nie mów:

„Jeśli nie będziesz chodził do przedszkola, wyrośniesz na głupka"

Taka krzywdząca przepowiednia jedynie zwiększy obawy dziecka związane z przedszkolem.

Zamiast tego przypomnij o regule. Powiedz:

„Rozumiem, że nie chcesz iść do przedszkola, ale reguła mówi, że chodzisz tam w poniedziałki, środy i piątki. Dziś jest środa, więc przygotujmy się do wyjścia"

Subtelnie przypominając o regule, pokazujesz dziecku, że troszczysz się o nie nawet wówczas, gdy zasada wymaga, by zrobiło coś, czego nie lubi.

ROZDZIAŁ 43

„Idziesz do nowego przedszkola" „Nie! Nie chcę iść do nowego przedszkola!"

Dziecko być może nie zaprotestuje aż tak otwarcie, jednak możesz zauważyć inne sygnały, że nie podoba mu się idea pójścia do nowego przedszkola: może nie chcieć o tym rozmawiać, może miewać napady szału w drodze do przedszkola, może być agresywne wobec innych dzieci, lub mówić ci, że boli je brzuch, ilekroć wspominasz ten temat. Wszystkie te znaki wskazują na to, że musi się nauczyć dostosowywania do zmian.

Przydatne wskazówki

- Podkreślaj pozytywne aspekty zmiany przedszkola: większy plac zabaw, więcej dzieci w jego wieku, bliżej domu itp.
- Przed dokonaniem przenosin, odwiedź nowe przedszkole wraz z dzieckiem, by pokazać mu to miejsce i dać sygnał, że zbliża się zmiana.

Dialog ze sobą

Nie mów sobie:

„Moje dziecko jest tak nieśmiałe, że nigdy nie nauczy się radzić sobie ze zmianą"

Twoje dziecko uczy się dostosowywać do nowych sytuacji; uznawszy je za nieśmiałe, możesz zaniechać starania o to, by pomóc mu w dokonaniu koniecznej zmiany.

Zamiast tego powiedz sobie:

„Wiem, że mojemu dziecku jest trudno, ale jestem pewna, że jest w stanie poradzić sobie z tą zmianą"

Zrozumienie obaw dziecka i afirmacja jego zdolności przezwyciężenia ich pomogą ci zachować otwarty umysł, by łatwiej wymyślić, jak pomóc mu poradzić sobie z sytuacją.

Nie mów sobie:

„Nie poradzę sobie z dodatkowym stresem. Sama przeprowadzka jest dostatecznie ciężka"

Mówiąc sobie, że nie dasz rady, automatycznie pozbawiasz się umiejętności kreatywnego rozwiązywania problemów. Negatywne komunikaty są niekorzystne tak dla ciebie, jak i dla twojego dziecka.

Zamiast tego powiedz sobie:

„Pomagając mu poradzić sobie ze zmianą, sama uczę się nowych sposobów radzenia sobie z problemami"

Czasem ucząc swoje dziecko, sama dowiadujesz się czegoś nowego o sobie samej. Postrzegaj wyzwanie jako okazję do rozwoju waszych osobowości.

Nie mów sobie:

„Sprzeciw mojego dziecka przed pójściem do nowego przedszkola to katastrofa!"

Wyolbrzymiając problem, sprawiasz, że wydaje się nierozwiązywalny. Pamiętaj, wszystkie wydarzenia same z siebie są neutralne; dopiero twój sposób myślenia o nich czyni je pozytywnymi lub negatywnymi.

Zamiast tego powiedz sobie:

„Moim celem jest nauczenie go, jak radzić sobie ze zmianami"

Mając cały czas na względzie długofalowy cel, przyjmiesz zmianę przedszkola jako okazję do nauczenia malca elastyczności.

Dialog z dzieckiem

Nie wzbudzaj poczucia winy. Nie mów:

„Wiesz, że nie stać nas na to, żebyś chodziła do starego przedszkola, więc musisz chodzić do nowego"

Unikaj mówienia dziecku, że jego potrzeby są zbyt kosztowne. Sprawisz tym, że poczuje się odpowiedzialne za sytuację, której nie jest w stanie kontrolować. Co więcej, twój brak empatii jest dla niego sygnałem, że nie interesują cię jego uczucia.

Zamiast tego chwal współpracę. Powiedz:

„Wiem, że trudno ci przyzwyczaić się do zmiany, ale jesteś dzielna i silna, i wiem, że sobie poradzisz"

Utwierdzając dziecko w przekonaniu, że jest odważne, pomożesz mu zebrać siłę, której potrzebuje, by poradzić sobie ze zmianą. Twoje słowa mogą stać się samospełniającą się przepowiednią.

Nie przekupuj. Nie mów:

„Jeśli nie będziesz narzekać na nowe przedszkole, kupię ci nowy rower"

Przekupstwem uczysz dziecko, że może dostać nagrodę za zrobienie czegoś, na co nie ma ochoty.

Zamiast tego zaproponuj umowę. Powiedz:

„Kiedy wrócisz z przedszkola, możesz przyprowadzić kolegę"

Reguła Babuni pomaga dziecku skupić się na pozytywnych konsekwencjach wykonywania twoich poleceń. Uczy go także, by wypełniać swoje powinności przed zajęciem się realizacją własnych planów.

Nie obwiniaj. Nie mów:

„Nic mnie nie obchodzi, czego ty chcesz. Twój ojciec nie płaci wystarczających alimentów, żebyś mógł zostać w starym przedszkolu"

Nie ignoruj uczuć dziecka i nie wiń byłego męża za konieczność zmiany przedszkola. Takim zachowaniem powiesz maluchowi, że to, co czuje, nie ma znaczenia. Wystawisz również na próbę jego lojalność wobec obojga rodziców oraz zwiększysz napięcie między tobą i twoim byłym.

Zamiast tego przedstaw sytuację w optymistycznym świetle:

„Wiem, że nie chcesz iść do nowego przedszkola, ale jest bliżej mojej pracy i raz na jakiś czas możemy razem zjeść lunch"

Pomagając dziecku skoncentrować się na korzyściach płynących ze zmiany przedszkola, nauczysz je, jak być elastycznym i znosić frustrację.

Nie przypinaj etykietek. Nie mów:

„Wiem, że jesteś nieśmiały i trudno nawiązujesz znajomości, ale mimo to musisz iść do nowego przedszkola"

Gdy mówisz dziecku, że jest nieśmiałe, sprawiasz, że problem się utrwala. Pamiętaj, że jego zachowanie nie określa go jako osoby – może je zawsze zmienić.

Zamiast tego okaż wsparcie. Powiedz:

„Odwiedzimy dziś twoje nowe przedszkole. Myślę, że ci się spodoba i poznasz tak wielu fajnych kolegów"

Gdy będziecie zwiedzać nowe przedszkole, zapewnij dziecku wsparcie emocjonalne i podkreśl jego zdolność do nawiązywania znajomości. Twoje pozytywne nastawienie pomoże mu przyjąć zmianę jako naturalny element życia.

ROZDZIAŁ 44

„Słuchaj wychowawcy"
„Nie! Nie chcę słuchać wychowawcy!"

Gdy otrzymasz informację, że twój trzylatek nie słucha się lub nie wykonuje poleceń w przedszkolu, spostrzeżenia wychowawcy mogą być wartościowym źródłem informacji o kontaktach między twoim dzieckiem a opiekunem. Czy malec często bywa nieuważny, sprzeciwia się lub nudzi? Czy jest zły, że musi chodzić do przedszkola? Czy wydarzenia z życia rodzinnego, np. przyzwyczajanie się do nowego rodzeństwa, wpływają na jego zachowanie w szkole? Pozostawaj w ścisłym kontakcie z wychowawcą, by zrozumieć, w jaki sposób twoje dziecko uczy się najlepiej, oraz po to, by motywujące do współpracy komunikaty, jakie od was otrzymuje, były spójne.

Przydatne wskazówki

- Podkreślaj znaczenie okazywania szacunku wychowawcom i innym osobom.
- Mów dziecku, jak bardzo szanowałaś wychowawców i nauczycieli, gdy ty chodziłaś do przedszkola i do szkoły.
- Traktuj dziecko z szacunkiem, jaki chcesz, by okazywało swym wychowawcom.
- Dawaj dobry przykład empatii, życzliwości, troskliwości i grzeczności.

Dialog ze sobą

Nie mów sobie:

„Tak mi wstyd, gdy wychowawczyni mojego dziecka mówi mi, że jej nie słucha"

Jeśli czujesz wstyd, oznacza to, że jesteś odpowiedzialna za zachowanie dziecka. W rzeczywistości jesteś odpowiedzialna jedynie za *uczenie* go – ono samo ponosi odpowiedzialność za wprowadzanie w czyn twoich lekcji.

Zamiast tego powiedz sobie:

„Wiem, że wychowawczyni mojego dziecka rozumie, że jego problemy z koncentracją uwagi to nie moja wina"

Wychowawca twojego dziecka rozumie, że sporadyczny brak współpracy jest naturalny dla dzieci w wieku przedszkolnym.

Nie mów sobie:

„Moje dziecko sprawia mi zawód, gdy nie słucha nauczyciela"

Twoje rozczarowanie jest dla dziecka sygnałem, że nie potrafisz oddzielić jego samego od jego zachowania. Musi wiedzieć, że twoja miłość jest bezwarunkowa – że kochasz je, nawet jeśli nie podoba ci się jego zachowanie.

Zamiast tego powiedz sobie:

„Nie podoba mi się, że moje dziecko nie słucha się i nie wykonuje poleceń, ale na pewno rozwiążemy ten problem"

Mówiąc sobie, że coś ci się nie podoba, uwalniasz własne emocje, by następnie móc zająć się rozwiązywaniem problemu.

Nie mów sobie:

„Dlaczego moje dziecko nie może słuchać i wykonywać poleceń?"

Każdy rodzic chciałby mieć grzeczne, posłuszne dziecko. Jednak zwykłe zdrowe dzieci często nie chcą czegoś zrobić, mimo tego że potrafią.

Zamiast tego powiedz sobie:

„Uczenie się jest procesem, więc muszę być wobec mojego dziecka cierpliwa"

Pomyśl o zaistniałej sytuacji jako o okazji do nauczenia dziecka ważnej lekcji. Pamiętaj przy tym, że nauka uczenia się wymaga czasu i wytrwałości.

Dialog z dzieckiem

Nie gróź. Nie mów:

„Za każdym razem gdy usłyszę od twojego wychowawcy, że nie słuchasz albo nie wykonujesz poleceń, dostaniesz lanie"

Grożąc dziecku przemocą, sprawisz, że zacznie się bać ciebie i wychowawców. Nie pomożesz mu natomiast nauczyć się współpracować.

Zamiast tego zachęć do odzewu. Powiedz:

„Opowiedz mi o poleceniach w przedszkolu. Chciałabym wiedzieć, co sprawia, że trudno ci je wykonywać"

Poproś dziecko, by podzieliło się z tobą opiniami na temat różnych zadań, ale unikaj pytania „dlaczego", które zwykle prowadzi do konfrontacji. Odpowiedź będzie stanowić źródło informacji na temat przyczyn jego zachowania, pomagając ci znaleźć rozwiązanie problemu.

Nie przypinaj etykietek. Nie mów:

„Co z tobą? Myślałam, że masz dość rozumu, żeby słuchać!"

Nie mów dziecku, że jest z nim coś nie w porządku, ponieważ nie chce słuchać lub wykonywać poleceń w przedszkolu. Czyniąc tak, nie pomożesz mu się nauczyć, jak wykonywać te zadania. Przyczynisz się natomiast do tego, że wyrobi o sobie negatywne zdanie.

Zamiast tego zaoferuj wsparcie. Powiedz:

„To bardzo ważne żebyś słuchała pani. Porozmawiajmy o tym, jak możesz się tego nauczyć"

Pozwalając dziecku brać udział w rozwiązywaniu problemu, czynisz go pełnoprawnym uczestnikiem dyskusji, a także czynnym uczestnikiem procesu podejmowania decyzji. Skupiasz przy tym uwagę na celu, a nie na jego niechęci do współpracy.

Nie zawstydzaj. Nie mów:

„Tak mi za ciebie wstyd. Tyle razy ci mówiłam, żebyś słuchał wychowawczyni, ale do ciebie to nie dociera"

Usiłując motywować dziecko poprzez wywołanie w nim poczucia wstydu, sygnalizujesz mu, że twoja miłość nie jest bezwarunkowa. Jeśli nauczysz się wykonywać polecenia tylko po to, by uniknąć wstydu, czynnikiem motywującym stanie się strach. Może to doprowadzić do depresji i utraty pewności siebie.

Zamiast tego podkreślaj znaczenie pracy grupowej. Powiedz:

„Spotkam się dziś z twoją wychowawczynią, żeby razem z nią wymyślić, jak pomóc ci słuchać i wykonywać polecenia"

Współpracując z wychowawcą twojego dziecka, będziesz w stanie ustalić, czy twoje dziecko niedosłyszy, nudzi się, boi porażki itp. Gdy odkryjesz problem leżący u podstaw całego zjawiska, będziesz mogła przedsięwziąć odpowiednie kroki, by go rozwiązać i pomóc dziecku. Mówiąc mu, że chcesz być z nim w jednym zespole, pokazujesz mu, że zależy ci na nim.

ROZDZIAŁ 45

„Dziś pójdziesz do grupy maluchów" „Nie! Nie chcę być w grupie maluchów!"

Jednego dnia twój czterolatek zachowuje się jak starszy księgowy, dogadujący się ze swymi podwładnymi; drugiego nie chce mieć z nimi już nic wspólnego, a nawet przebywać z nimi w jednym pomieszczeniu. Nie pozwól, by te kaprysy zburzyły twą konsekwencję – po prostu opowiedz malcowi o zasadach rządzących przydziałem grup, by wiedział, że ta, w której się znalazł, jest dla niego najlepsza.

Przydatne wskazówki

- Poproś wychowawcę, by pomógł twojemu dziecku dostosować się do przydzielonej grupy.
- Upewnij się, że zajęcia stymulują twoje dziecko i są odpowiednie do jego umiejętności.

Dialog ze sobą

Nie mów sobie:

„Porozmawiam z osobami odpowiedzialnymi za przydział do grup i załatwię przeniesienie mojego dziecka do innej"

Choć możesz czuć pokusę, by uratować dziecko od „cierpienia", które musi znosić, walka z zasadami panującymi w przedszkolu nie pomoże dziecku w nauce radzenia sobie z przeciwnościami. Przeciwnie, będzie to dla niego sygnałem, iż uważasz, że nie jest w stanie dostosować się do nowych warunków.

Zamiast tego powiedz sobie:

„Robię to, co najlepsze dla mojego dziecka, nawet jeśli ono tego nie rozumie"

Pamiętaj, że jako rodzic jesteś odpowiedzialna za zapewnienie dziecku optymalnych warunków, by wyrosło na osobę samowystarczalną, elastyczną i dobrze dostosowaną do środowiska, w którym żyje. Choć obecnie może być rozczarowane lub sfrustrowane, jeśli pomożesz mu radzić sobie z tymi uczuciami, zaprocentuje to w przyszłości.

Nie mów sobie:

„Nienawidzę sprawiać przykrości mojemu dziecku. Pozwolę mu po prostu zostać w domu"

Przede wszystkim pamiętaj, że to nie ty sprawiasz dziecku przykrość – jedynie ono jest w stanie kontrolować własne uczucia. Po drugie, ulegając jego narzekaniom, pokażesz mu, że wystarczy zrobić awanturę, by postawić na swoim. Wreszcie, w ten sposób nie nauczysz go, jak radzić sobie z zadaniami, których nie lubi wykonywać.

Zamiast tego powiedz sobie:

„Mogę znieść chwilowy dyskomfort mojego dziecka. Z czasem dostosuje się do sytuacji"

Martwiąc się, niczego nie rozwiążesz – nauczysz jedynie swoje dziecko, żeby zachowywało się tak samo w każdej sytuacji, gdy nie może postawić na swoim. Pamiętaj: to także minie. Reagując na sytuację ze spokojem, sprawisz, że dziecko i w tym będzie cię naśladować.

Nie mów sobie:

„Rujnuję mu życie, nalegając, by pozostał w grupie maluchów. Chyba mnie za to na zawsze znienawidzi"

Nie wyolbrzymiaj problemu. Twoja miłość do dziecka jest bezwarunkowa – tak samo jak jego miłość do ciebie.

Zamiast tego powiedz sobie:

„Przebywanie z maluchami to nic strasznego"

Gdy spojrzysz na niewielkie kłopoty z właściwej perspektywy, łatwej będzie ci sobie z nimi poradzić. Zachowując spokój, otwierasz umysł na twórcze metody rozwiązywania problemów.

Dialog z dzieckiem

Nie ignoruj uczuć dziecka. Nie mów:

„Nic mnie nie obchodzi, czy ci się podoba w grupie maluchów, czy nie. Przydzielili cię tam, więc się do tego przyzwyczaj"

Twój brak empatii jest dla dziecka sygnałem, że nie może od ciebie oczekiwać jakiejkolwiek pomocy. Bez twojego wsparcia, może się poczuć niechciane i niekochane.

Zamiast tego przypomnij o regule. Powiedz:

„Wiem, że nie lubisz być w grupie maluchów, ale zgodnie z regułą musisz tam przez jakiś czas zostać. Pomyślmy, co fajnego tam możesz robić"

Wyjaśniając regułę, okaż jednocześnie zrozumienie dla losu twojego dziecka. Gdy zobaczy, że szanujesz je na tyle, by poważnie traktować jego uwagi, poczuje motywację do współpracy.

Nie rugaj. Nie mów:

„Przestań narzekać na grupę maluchów. Nie chcę tego więcej słuchać"

Bagatelizując zmartwienia dziecka, sygnalizujesz mu, że jego uczucia nie są ważne. Choć możesz nie być w nastroju na wysłuchiwanie jego żali, upokarzając malca nie rozwiążesz problemu, a jedynie zaognisz jego gniew i urazę.

Zamiast tego zaprezentuj aktywną postawę. Powiedz:

„Opowiedz mi o przyjemnych rzeczach, które dziś wydarzyły się w przedszkolu"

Gdy dziecko narzeka na przydział sal, pomóż mu skupić się na tym, co w przedszkolu jest pozytywne. Pokażesz mu w ten sposób, że narzekanie jest mniej przyjemne od myślenia o zaletach danej sytuacji. Jakaż to zdrowa lekcja!

Nie przekupuj. Nie mów:

„Jeśli przestaniesz narzekać na to, że jesteś w grupie maluchów, w drodze do domu kupię ci nową zabawkę"

Przekupstwem nauczysz dziecko, że jeśli będzie tłumić w sobie emocje, może liczyć na nagrodę. Powinnaś dać mu lekcję wręcz odwrotną: że zawsze chętnie posłuchasz, gdy zechce podzielić się odczuciami, i że pragniesz, by robiło to jak najczęściej.

Zamiast tego skup się na zaletach. Powiedz:

„Opowiedz mi, co robisz z kolegami w przedszkolu"

Pomóż dziecku dzielić się pozytywnymi uczuciami wynikającymi z przydziału sal, by nauczyć je koncentrować się na zaletach, zamiast rozwodzić się na temat wad danej sytuacji. Pozytywne uczucia poprawiają krążenie krwi, zapobiegają depresji i sprzyjają dobremu zdrowiu.

Nie wyszydzaj. Nie mów:

„Jeśli jesteś taką beksą, rzeczywiście twoje miejsce jest wśród maluchów"

Au! Przezywanie jest dla dziecka sygnałem, że nie interesują cię jego uczucia. Usuń tę krzywdzącą, bezsensowną reakcję ze swojego repertuaru.

Zamiast tego chwal współpracę:

„To, że chodzisz do przedszkola, oznacza, że jesteś już taki duży. Nawet jeśli nie lubisz być w grupie maluchów"

Chwaląc dziecko za to, że sobie radzi, zachęcisz je, do zapobiegania własnej frustracji. Twoja pociecha chce ci się przypodobać, więc będzie powtarzać zachowania, które chwalisz.

ROZDZIAŁ 46

„Czas na robienie ćwiczeń"
„Nie! Nie chcę robić ćwiczeń!"

Ta słynna skarga świadczy o presji, jaką rodzice wywierają na dziecko – i o buncie, jaki rodzi się w przedszkolaku, gdy czuje, że musi sprostać ich oczekiwaniom. Zrozum, że dziecko potrzebuje stymulacji *oraz* odpoczynku, zatem unikaj przeciążania go nadmiarem zajęć. Zachęcaj do ćwiczeń, jednak nie wymagaj, by twoja pociecha uczyła się rzeczy, które są dla niego za trudne na tym etapie rozwoju.

Przydatne wskazówki

- Niech dziecko ćwiczy o stałych porach, tak by weszło mu to w nawyk.
- Zadbaj o to, by dziecko miało dużo wolnego czasu, w którym mogłoby robić, co samo wybierze.

Dialog ze sobą

Nie mów sobie:

„Moje dziecko nigdy nie chce ćwiczyć. Jest takie leniwe!"

Nie wyolbrzymiaj niechęci malca do ćwiczeń. Przypisując ją lenistwu, oceniasz dziecko, zamiast jego zachowania. Być może jest zmęczone, nie interesuje go lekcja, lub nie ma motywacji, ale nie jest leniwe.

Zamiast tego powiedz sobie:

„Rozumiem, że ćwiczenie może być nudne"

Empatia powinna pomóc ci zrozumieć, co czuje twoje dziecko. Pomyśl o zadaniach, których sama nie lubisz robić i przypomnij sobie, jak trudno jest czasem przezwyciężyć znudzenie.

Nie mów sobie:

„Martwię się, że źle wypadnie na występach, jeśli nie będzie ćwiczył wierszyka"

Martwiąc się potencjalnym niepowodzeniem dziecka, nie pomożesz mu w wyrobieniu właściwych nawyków. Myśląc o katastrofie, która może nastąpić, jedynie wzmagasz w sobie niepokój – nie skupiasz się natomiast na bieżącym zadaniu.

Zamiast tego powiedz sobie:

„Świat się nie skończy, jeśli dzisiaj nie poćwiczy"

Jeśli zrozumiesz, że opór dziecka jest tylko chwilowy, pozbędziesz się przekonania, że *musisz* znaleźć sposób, by zmusić je do ćwiczeń.

Nie mów sobie:

„Uczenie mojego dziecka należy do nauczycieli i wychowawców, nie do mnie"

Właściwa edukacja twojej pociechy wymaga, byś współpracowała z nauczycielami czy wychowawcami. Uchylając się od odpowiedzialności, wyrządzasz krzywdę dziecku. W istocie jesteś przecież jego pierwszym i najważniejszym nauczycielem.

Zamiast tego powiedz sobie:

„Moim zadaniem jest wyrobienie w dziecku dobrych nawyków związanych z uczeniem się"

Motywując dziecko do ćwiczeń, nie tylko dbasz o to, by doskonaliło swe umiejętności – ale również o samodyscyplinę i wytrwałość, czyli cechy, które będą mu potrzebne przez całe życie.

Nie mów sobie:

„Mam dość walki o regularne ćwiczenia. Jak mu się coś wreszcie nie uda, sam nauczy się, że musi ćwiczyć"

Stosując porażkę jako metodę motywowania dziecka, nie nauczysz go, jak wytrwale dążyć do celu.

Zamiast tego powiedz sobie:

„Mimo że się sprzeciwia, nie poddam się"

Jeśli pomożesz dziecku wytrwać w postanowieniach, nie tylko będzie doskonaliło swe umiejętności, ale również nauczy się, jak nie poddawać się w obliczu wyzwania. Dając przykład wytrwałości, sprawisz, że malec pozna znaczenie tej cechy.

Dialog z dzieckiem

Nie strasz. Nie mów:

„Nie poradzisz sobie w szkole, jeśli teraz nie będziesz ćwiczył literek"

Nie posługuj się sukcesem bądź porażką dziecka jako miernikami twej własnej wartości. Motywując malca strachem, sygnalizujesz, że twoje szczęście zależy od jego dokonań. Jeśli będzie wówczas współpracować, to jedynie po to, by cię nie rozczarować.

Zamiast tego komplementuj dziecko. Powiedz:

„Tak dobrze sobie dzisiaj radzisz. Prawda, że jest przyjemnie, jak coś się uda, jeśli ciężko się nad tym pracowało?"

Chwaląc poczynania dziecka, wyrobisz w nim na całe życie nawyk ciężkiej pracy nad osiągnięciem zamierzonego celu. Pamiętaj, by chwalić *starania* malca, nie ich wynik.

Nie wzbudzaj poczucia winy. Nie mów:

„Myślałam, że lubisz grać na pianinie. Dlaczego nie chcesz ćwiczyć?"

Gdy pytasz dziecko, dlaczego nie chce czegoś robić, stawiasz je pod ścianą, zmuszając do obrony i usprawiedliwienia własnego zachowania.

Zamiast tego okaż wsparcie. Powiedz:

„A teraz poćwiczmy gamy. Posiedzę tutaj, żeby ci było miło"

Twoja obecność i uwaga mogą być wystarczającą motywacją dla dziecka. Nauczy się, że cenisz jego lekcje na tyle, że poświęcasz swój czas, by mu towarzyszyć.

Nie porównuj. Nie mów:

„Twój brat zawsze ćwiczył bez awantur"

Porównując dziecko z jego rodzeństwem możesz doprowadzić do pojawienia się rywalizacji. Twoim zadaniem jest dopilnowanie, by pociecha wykorzystała swój potencjał, niezależnie od osiągnięć jej brata czy siostry.

Zamiast tego przypomnij o zasadzie. Powiedz:

„Zegar pokazuje, że czas na ćwiczenia.
Gdy zadzwoni budzik, czas ćwiczeń minie"

Cedując odpowiedzialność za przestrzeganie zasad na budzik, uchylasz się od roli „żandarma", sprawiając, że dziecko samo jest w stanie sobie poradzić. Unikasz jednocześnie porównań z kimkolwiek innym.

CZĘŚC VIII

SPANIE

Zawsze jest czas na wdzięczność i nowy początek.

—J. Robert Moskin

ROZDZIAŁ 47

„Czas do łóżka"
„Nie! Nie chcę iść do łóżka!"

Chodzenie spać jest atrakcyjne tylko wtedy, gdy nikt ci nie każe tego robić. Ustal stałe pory kładzenia się do snu i upewnij się, że piżama twojego przedszkolaka pasuje jak ulał. Dzieci polegają na stałości i przewidywalności.

Przydatne wskazówki

- Ustal zasadę określającą, kiedy dziecko musi się ubrać w piżamę. Przypominaj mu o tym na kilka minut wcześniej.
- Niech budzik rządzi każdym etapem wieczornego rytuału.
- Wraz ze zbliżającą się porą snu, wykonuj z dzieckiem ciche, uspokajające czynności (czytanie bajek, masaż pleców, modlitwa itp.).
- Możesz określić, w co się ubierasz wyłącznie do łóżka, by widząc cię w tym, dziecko przypominało sobie, że zbliża się pora snu.

Dialog ze sobą

Nie mów sobie:

„Wieczorem jestem wyczerpana, nie mam cierpliwości, żeby pilnować pory snu dziecka"

Nie pozwól, by pesymizm wygrał ze zdolnością przezwyciężenia zmęczenia. Myślenie ma moc sprawczą. Jeśli powiesz sobie, że nie jesteś w stanie czegoś zrobić, faktycznie ci się to nie uda.

Zamiast tego powiedz sobie:

„Jestem w stanie poradzić sobie z oporem dziecka, nawet kiedy jestem zmęczona"

Utwierdź się w świadomości, że potrafisz sobie poradzić, a nabierzesz energii niezbędnej, by pozyskać współpracę dziecka. Pozytywne nastawienie jest zaraźliwe!

Nie mów sobie:

„Jak mnie to złości, kiedy moje dziecko nie robi tego, co mu każę!"

Po pierwsze, wymaganie od dziecka posłuszeństwa jest nierealistyczne i bezcelowe. Po drugie, złoszcząc się tracisz zdolność do rozsądnego poszukiwania rozwiązań problemu, a także dajesz zły przykład dziecku, pokazując, że złość jest dopuszczalną reakcją na trudności, jakie stawia przed nami życie.

Zamiast tego powiedz sobie:

„Potrafię zachować spokój, gdy moje dziecko nie chce założyć piżamy"

Nie trać panowania nad sobą, gdy dziecko nie chce zakończyć dnia. Dzięki temu twoje nastawienie do sytuacji oraz do niego samego pozostanie pozytywne. Łatwiej będzie ci także zachować otwarty umysł, potrzebny, by znaleźć rozwiązanie problemu.

Nie mów sobie:

„Jeśli nie położę jej do łóżka przed ósmą, zepsuję sobie cały wieczór"

Takim podejściem nie tylko nakładasz na siebie oraz dziecko ogromną presję, ale również stawiasz sobie nierealistyczny cel. To *ty* decydujesz, kiedy twój wieczór jest „zepsuty", nie twoje dziecko.

Zamiast tego powiedz sobie:

„Rozumiem to, że moje dziecko nie chce, by jego przyjemny dzień już się kończył"

Szanując punkt widzenia dziecka, łatwiej wczujesz się w jego pragnienia, gdy stoją one w sprzeczności z twoimi priorytetami. Dzięki temu dasz sobie dużo więcej szans na nakłonienie malca do współpracy.

Dialog z dzieckiem

Nie gróź. Nie mów:

„Głuchy jesteś? Lepiej załóż tę piżamę, zanim spiorę ci tyłek!"

Grożąc dziecku przemocą, uczysz je, że jest to dopuszczalny sposób skłaniania ludzi, by zrobili to, czego chcemy. Nie chcesz przecież, by ono również stosowało przemoc, więc nie dawaj mu złego przykładu.

Zamiast tego zapytaj o zdanie. Powiedz:

„Powiedz, co ci się nie podoba w zakładaniu piżamy?"

Prosząc dziecko, by podzieliło się z tobą swymi uczuciami, sygnalizujesz mu, że jesteś nimi zainteresowana, a jednocześnie pozwalasz mu nabrać wprawy w ich wyrażaniu. Gdy powie ci, co myśli, będziesz się mogła skupić się na rozwiązaniu problemu, zamiast narzekać na zachowanie swej pociechy.

Nie strasz. Nie mów:

„Miałam zły dzień, więc ze mną nie zaczynaj. Natychmiast załóż tę piżamę"

Nie mów dziecku, że musi uważać na twój nastrój, by uniknąć konfrontacji. Pamiętaj, wydarzenia same z siebie są neutralne; stają się „dobre" albo „złe" w zależności od tego, co ty o nich myślisz. Nie musisz pozwalać, by ciężki dzień w pracy odbił się na twoim zachowaniu względem dziecka.

Zamiast tego przypomnij o regule. Powiedz:

„Rozumiem, że nie chcesz założyć piżamy, ale reguła mówi, że musisz ją na sobie mieć przed siódmą wieczorem"

Wszyscy przestrzegamy jakichś zasad: zasad ruchu drogowego, zasad obowiązujących w szkole lub w pracy – oraz zasad dotyczących pory snu. Naucz dziecko, że na tym właśnie polega życie. Zdając się na regułę, dajesz sobie możliwość by stanąć po stronie dziecka.

Nie karz. Nie mów:

„Nie chcesz założyć piżamy? Dobrze, w takim razie masz karę: będziesz tu siedzieć, aż się namyślisz, żeby się w nią ubrać"

Stosowanie kary „odstawienia" przeczy całemu założeniu położenia dziecka do łóżka na czas. Co więcej, uczy je, że może opóźniać porę snu, odmawiając założenia nocnej bielizny.

Zamiast tego użyj budzika. Powiedz:

„Tak szybko się rozbierasz. Założę się, że zdążysz założyć piżamę, zanim zadzwoni budzik!"

Użyj budzika, by obudzić w dziecku duchaobudzić w dziecku ducha współzawodnictwa, i chwal jego starania, by wygrać wyścig z czasem. Zamieniając sytuację w grę, odwracasz uwagę malca od buntowniczych planów, sprawiając, że szybko zrobi to, czego od niego oczekujesz.

ROZDZIAŁ 48

„Pora na drzemkę"
„Nie! Nie mam ochoty na drzemkę!"

Trzylatek zwykle najgłośniej protestuje przeciw drzemce właśnie wtedy, gdy jest całkowicie wykończony. Może sprzeciwiać się podwójnym standardom: ty nie idziesz spać i wciąż coś robisz, więc dlaczego on też nie może? Pokaż mu zatem, że jego pora drzemki i dla ciebie jest czasem ciszy. Jeśli będzie miało świadomość, że się wówczas uspokajasz, chętniej pójdzie w twe ślady.

Przydatne wskazówki

- Ustal schemat pory drzemki i konsekwentnie go przestrzegaj.
- Wprowadź zasady regulujące porę drzemki lub odpoczynku. Niech budzik wyznacza minimalny czas jej trwania.
- Na czas bezpośrednio przed porą drzemki wybierz ciche zajęcia, by dziecko mogło się powoli zacząć uspokajać.

Dialog ze sobą

Nie mów sobie:

„Jestem zbyt zmęczona, by być miłą dla dziecka. Będzie to musiało zrozumieć"

Zmęczenie nie może być usprawiedliwieniem nieżyczliwego zachowania. W przeciwnym razie dziecko nauczy się niepożądanej lekcji, iż konieczność okazywania innym szacunku nie jest bezwarunkowa.

Zamiast tego powiedz sobie:

„Oboje jesteśmy zmęczeni, ale to nie powód, żebym była gderliwa"

Zachowując takie pozytywne nastawienie, unikniesz zrzucania winy za swój nastrój na zmęczenie. Ponosisz odpowiedzialność za nauczenie dziecka, że należy się właściwie zachowywać niezależnie od kondycji fizycznej czy psychicznej.

Nie mów sobie:

„Kiedy moje dziecko nie chce iść spać, reszta dnia jest dla mnie zmarnowana"

Przewidując katastrofę, tworzysz samospełniającą się przepowiednię, nieracjonalnie winiąc dziecko za przebieg dnia.

Zamiast tego powiedz sobie:

„Gdy moje dziecko odmawia spania, to jeszcze nie znaczy, że dzień jest nieudany"

Sprawujesz kontrolę nad tym, co myślisz, o odmowie dziecka. Zachowując spokój, gdy malec się sprzeciwia, pokazujesz mu, jak radzić sobie z frustracją.

Nie mów sobie:

„Nie mogę znieść jak płacze, więc pozwolę mu się nie kłaść"

Żaden rodzic nie lubi, gdy dziecko płacze, ale rezygnując z jego drzemki, nie nauczysz go, jak radzić sobie z przeciwnościami.

Zamiast tego powiedz sobie:

„Jestem w stanie poradzić sobie z tym, że moje dziecko odmawia drzemki, ale i tak musi spędzić ten czas w ciszy"

Możliwe, że twoje dziecko nie potrzebuje więcej snu. Pozwól mu zamiast tego wybrać możliwości spędzenia czasu przeznaczonego na drzemkę w ciszy i spokoju, ale upewnij się, że rozumie, iż musi wybrać albo jedno, albo drugie.

Nie mów sobie:

„Nic mnie nie obchodzi, czy położy się spać"

Rezygnując z pory drzemki lub odpoczynku twojego dziecka, uczysz je, że jego opór wcześniej czy później się opłaci.

Zamiast tego powiedz sobie:

„Mimo że moje dziecko odmawia pójścia spać, wiem że potrzebuje odrobiny odpoczynku"

Aprobując znaczenie odpoczynku, będziesz bardziej zdeterminowana, by przestrzegać zasady. Skorzysta na tym zarówno dziecko, jak i ty.

Dialog z dzieckiem

Nie groź. Nie mów:

„Chodź no tu i kładź się spać, zanim dam ci lanie"

Twój brak empatii oraz groźba bólu fizycznego nie sprawią bynajmniej, że dziecko poczuje się wystarczająco swobodnie, by odpocząć. Przy okazji wyciągnie ono z tego zajścia taki wniosek, że jeśli jest się większym i silniejszym, można zastraszyć innych, by zrobili, czego się od nich żąda.

Zamiast tego przypomnij zasadę. Powiedz:

„Wiem, że nie chcesz teraz iść spać, ale reguła mówi, że musisz odpoczywać, aż zadzwoni budzik"

Przypomnij dziecku o regule i niech budzik będzie gwarancją przestrzegania jej. Dzięki temu unikniesz konfliktu i zachowasz pozytywne nastawienie.

Nie wzbudzaj poczucia winy. Nie mów:

„Mam po dziurki w nosie twojego narzekania na czas odpoczynku. Zamknij się i idź do pokoju!"

Mówiąc swojemu dziecku, że masz go „po dziurki w nosie", nie tylko pokazujesz mu, że twoja miłość do niego nie jest bezwarunkowa, ale również dajesz mu lekcję zastraszania – a jest to zachowanie, którego nie chcesz go przecież nauczyć.

Zamiast tego zaproponuj umowę. Powiedz:

„Kiedy skończy się czas odpoczynku, może cię odwiedzić twój kolega"

Zastosuj Regułę Babuni, by skupić uwagę dziecka na zabawie, która czeka je po zakończeniu pory odpoczynku.

Nie zrzędź. Nie mów:

„Ile razy mam ci powtarzać, żebyś poszedł się przespać?"

Zrzędzeniem nie osiągniesz zamierzonego celu (współpracy dziecka), wywołasz natomiast niepożądany efekt uboczny (pokazanie mu, jak narzekać).

Zamiast tego zachowaj pozytywne nastawienie. Powiedz:

„Czy to nie fajne, że oboje teraz mamy porę odpoczynku? Będziemy mieli dużo energii na resztę dnia!"

Twoje pozytywne nastawienie i dobry przykład spędzania czasu przeznaczonego na odpoczynek pomogą dziecku dostrzec korzyść płynącą z wykonywania twoich poleceń.

ROZDZIAŁ 49

„Czas, żebyś przeniósł się do dużego łóżka"
„Nie! Nie chcę spać w dużym łóżku!"

Wiesz, że twój dwulatek musi się „wyprowadzić" ze swojego łóżeczka, ale jego zupełnie nie przekonuje to, że „jest już duży". Pamiętaj, że dla małych dzieci każda zmiana jest stresująca; opuszczenie strefy, w której twoja pociecha czuje się bezpiecznie, będzie dla niej przykre. Zacznij ciepło mówić o nadchodzącej zmianie przynajmniej na dwa tygodnie przed tą wielką chwilą, a jednocześnie postaraj się połączyć w czasie możliwie jak najwięcej istotnych zmian, tak by maluch nie musiał się przyzwyczajać do każdej z nich oddzielnie. Wraz z przeniesieniem dziecka do dużego łóżka możesz dla przykładu przemeblować jego pokoik oraz zawiesić nowe zasłony. Jeśli natomiast uważasz, że lepiej zniesie serię drobnych zmian wprowadzanych stopniowo, obierz tę drogę. To ty znasz swoje dziecko najlepiej.

Przydatne wskazówki

- Upewnij się, że malec nie spadnie z dużego łóżka. Jeśli to konieczne, chwilowo przymocuj na krawędzi barierkę. Jeśli masz piętrowe łóżko, nie umieszczaj dziecka na górze, zanim skończy przynajmniej sześć lat.
- Zaproponuj dziecku, by zabrało do łóżka kilku „przyjaciół" (maskotki, lalki itp.), dzięki którym łatwiej zniesie okres przejściowy.
- Kup pościel w jego ulubionym kolorze lub z jego ulubionym bohaterem kreskówek, żeby zmiana wydała mu się atrakcyjniejsza.

Dialog ze sobą

Nie mów sobie:

„Będzie o to więcej zachodu niż co warte. Pozwolę jej zostać w łóżeczku"

Jeśli przewidujesz wielką batalię, jest duża szansa, że się jej doczekasz. Opóźnianie wykonania zadania nie sprawi, że konieczność zniknie.

Zamiast tego powiedz sobie:

„Mogę się spodziewać pewnego oporu przed dużymi zmianami, ale poradzę sobie z tym"

Przekonaj się, że potrafisz poradzić sobie z protestami dziecka. Pozytywne nastawienie pomoże ci zachować spokój i cierpliwość, a w konsekwencji sprawi, że i ono będzie się zachowywać podobnie.

Nie mów sobie:

„Dlaczego musi tak być? Dlaczego to nie może być prostsze?"

To naturalne, że małe dzieci stawiają opór w obliczu wszelkich zmian, starając się określić swą tożsamość i zdobyć kontrolę nad swoim światem. Ta sytuacja *może* być nieskomplikowana, jeśli tylko będziesz o niej myśleć w ten właśnie sposób.

Zamiast tego powiedz sobie:

„Rozumiem, że sporadyczne wybuchy muszą się zdarzać w miarę, jak moje dziecko rośnie, jednak muszę zachować spokój"

Dając dobry przykład panowania nad sobą, pokażesz dziecku, jak ma wyrobić w sobie podobną zdolność. Będzie się uczyć, naśladując twoje zachowanie.

Nie mów sobie:

„Mojemu dziecku całkiem brakuje wiary w siebie. Nigdy nie poradzi sobie z przenosinami do dużego łóżka"

Gdy uznasz, że twojemu dziecku brak wiary w siebie, zarzucisz próby nauczenia go, jak być pewnym siebie i jak radzić sobie ze zmianami.

Zamiast tego powiedz sobie:

„Moim celem jest nauczenie dziecka, jak radzić sobie ze zmianami"

Dziecko zdoła zrobić wszystko, jeśli tylko się do tego przyłoży. Elementem nauki radzenia sobie w różnych sytuacjach jest wykształcenie pewności siebie, umożliwiającej zaakceptowanie zmiany nawet wówczas, gdy budzi w nas strach.

Dialog z dzieckiem

Nie wymagaj. Nie mów:

„Przestań narzekać na duże łóżko. Twojego łóżeczka już nie ma, więc musisz się przyzwyczaić"

Twój brak empatii jest dla dziecka sygnałem, że nie może liczyć z twojej strony na wsparcie emocjonalne. Być może będzie współpracować, ale jedynie ze strachu przed odrzuceniem. Nie nauczy się natomiast, jak radzić sobie ze strachem przed zmianą.

Zamiast tego przypomnij o regule. Powiedz:

„Reguła mówi, że kiedy kończysz dwa lata, zasługujesz na przenosiny do dużego łóżka"

Gdy odwołujesz się do reguły, to ona staje się „tym złym", podczas gdy ty możesz pozostać sprzymierzeńcem dziecka. Mówiąc mu, że „zasługuje" na to, by spać w dużym łóżku, zamiast mówić, że „musi" to robić, ukazujesz sytuację w pozytywnym świetle. W ten sposób sprawiasz, że malec ma uczucie, iż jest w pewnym sensie włączony w podejmowanie decyzji.

Nie składaj obietnic, których nie możesz dotrzymać. Nie mów:

„Jeśli pójdziesz spać do dużego łóżka, położę się przy tobie, aż zaśniesz"

Składając taką obietnicę „bez granic", przygotuj się na to, że będziesz musiała w ten sposób kłaść dziecko do łóżka przez następnych kilka lat, gdyż zacznie potrzebować twej obecności, by zasnąć.

Zamiast tego chwal. Powiedz:

„Cieszę się, że jesteś taki dzielny, że chcesz spać w dużym łóżku. Poleżę tu obok ciebie, aż zadzwoni budzik, by dać mi znać, że muszę już iść do swojego łóżka"

Chwaląc odwagę dziecka, zachęcisz je do zaakceptowania nowego układu, natomiast dzięki temu, że to budzik określi, jak długo możesz z nim zostać, malcowi łatwiej będzie przyzwyczaić się do zmiany.

Nie cofaj decyzji. Nie mów:

„Nie mogę słuchać, jak płaczesz. Z powrotem wstawię do twojego pokoiku łóżeczko, żebyś mogła w nim spać"

Wycofując się z raz podjętej decyzji, uczysz dziecko, że płacz jest wytrychem umożliwiającym mu postawienie na swoim. Takim postępowaniem dajesz również przykład braku wytrwałości: poddajesz się, ponieważ jesteś sfrustrowana, nie zaś dlatego, że zmieniłaś zdanie.

Zamiast tego pokaż sytuację w innym świetle. Powiedz:

„Twoje nowe łóżko jest na tyle duże, że mogę w nim z tobą leżeć, gdy czytam ci książeczki. Prawda, że fajnie?"

Skupiając uwagę dziecka na zaletach nowego łóżka, sprawisz, że przestanie myśleć o starym.

ROZDZIAŁ 50

„Chcę, żebyś spał w swoim łóżku" „Nie! Nie chcę spać w swoim łóżku!"

Chcesz, żeby dziecko spało w swoim łóżku, ale ono woli położyć się razem z siostrą, psem – lub z tobą. Ustal zasadę określającą, gdzie mają spać poszczególni członkowie rodziny, tak żeby to ona „pilnowała porządku". Jeśli postanowiłaś, że dziecko powinno spać w swoim łóżku, unikaj zmieniania zasady. Nie pozwalaj mu spać u siebie nawet gdy jest chore, lub gdy twój mąż wyjedzie. Twoja konsekwencja zmniejszy prawdopodobieństwo, że malec będzie próbował łamać reguły.

Przydatne wskazówki

- Ustal zasady regulujące zachowanie podczas pory snu, tak by dziecko wiedziało, czego oczekiwać.
- Jeśli dziecko spało wcześniej w twoim łóżku i postanowiłaś, że powinno się przenieść do swojego, wyjaśnij nową zasadę i przestrzegaj jej konsekwentnie.

Dialog ze sobą

Nie mów sobie:

„Nie mogę znieść, jak moje dziecko płacze po nocy, więc pozwolę mu, żeby przyszło do mnie"

Nic tak nie rani serca rodzica jak płacz dziecka. Jednakże jeśli twoje dziecko nie jest chore, unikaj zmiany zasady mówiącej, że musi spać w swoim łóżku. Ulegając, uczysz je, że płaczem wcześniej czy później zdobędzie to, czego chce, oraz że zasady tak naprawdę nie mają znaczenia.

Zamiast tego powiedz sobie:

„Nie lubię, gdy moje dziecko płacze, ale potrafię sobie z tym poradzić. Musi minąć trochę czasu, zanim przyzwyczai się do spania we własnym łóżku"

Nie zapominając o długofalowym celu, łatwiej przezwyciężysz chwilowy brak współpracy ze strony dziecka. Gdy zachowasz spokój, bez trudu poradzisz sobie z jego protestami.

Nie mów sobie:

„Wszyscy będą myśleli, że zwariowałam, jeśli pozwolę dziecko spać w moim łóżku"

Jeśli będziesz się martwić o opinie innych ludzi, dasz im nad sobą władzę w procesie podejmowania decyzji. Powinnaś dokonywać wyborów, które są najlepsze dla twojej rodziny, nie zaś po to, by schlebiać zdaniu osób trzecich.

Zamiast tego powiedz sobie:

„Nie interesuje mnie, co inni myślą na ten temat. Muszę robić to, co uważam za słuszne"

Oprzyj swe decyzje rodzicielskie na *twoich* przekonaniach, nie na zdaniu kogoś postronnego.

Nie mów sobie:

„Nienawidzę tego, że mój były pozwala dziecku u siebie spać w swoim łóżku"

Odczuwając nienawiść wobec swego byłego partnera za to, że stosuje inne zasady, marnujesz jedynie energię. Myśląc w ten sposób, zwiększasz napięcie między wami dwojgiem, możesz też zaszkodzić więzi dziecka z jego drugim rodzicem. Jedyna przestrzeń, którą kontrolujesz, to ta należąca do ciebie.

Zamiast tego powiedz sobie:

„Muszę się pogodzić z tym, że w domu mojego byłego panują inne zasady"

Gdy przyjmiesz do wiadomości fakt, że inni mają inne zasady, ustrzeżesz się wojny oraz unikniesz zmuszania dziecka do podziału swej lojalności między rodziców.

Dialog z dzieckiem

Nie gróź. Nie mów:

„Jak nie przestaniesz ryczeć, to dopiero dam ci powód do płaczu"

Grożąc dziecku przemocą, gdy jest mu przykro, sprawiasz, że nie będzie umiało poradzić sobie z sytuacją. Wzmagasz także jego gniew i urazę.

Zamiast tego przypomnij o regule. Powiedz:

„Wiem, że chcesz spać w moim łóżku, ale reguła mówi, że każde z nas śpi u siebie"

Gdy pozwalasz, żeby to reguła określiła, gdzie śpi każdy z domowników, zapobiegasz konfliktowi między tobą a dzieckiem, jednocześnie ucząc je, że należy przestrzegać zasad.

Nie przekupuj. Nie mów:

„Jeśli pójdziesz spać do siebie, kupię ci zabawkę, o którą mnie prosiłeś"

Niech cię nie korci, żeby przekupstwem zdobywać posłuszeństwo dziecka. Stosując taką strategię uczysz je bowiem, że twoje priorytety nie powinny dla niego być na tyle ważne, by dostosować się do nich bez materialnej nagrody.

Zamiast tego zaproponuj umowę. Powiedz:

„Jeśli noc spędzisz w swoim łóżku, poranek spędzimy wspólnie przy śniadaniu"

Reguła Babuni pozawala ci na kompromis: coś, czego chce twoje dziecko, w zamian za coś, czego chcesz ty. To ważna lekcja tego, jak godzić ze sobą priorytety wszystkich zainteresowanych stron.

Nie poddawaj się. Nie mów:

„No dobrze, dość już się nabeczałaś. Możesz wejść do mnie do łóżka"

Zmienianie decyzji pod wpływem płaczu dziecka to niebezpieczny nawyk, zarówno dla ciebie, jak i dla dziecka. Zawczasu zdecyduj, kiedy powinnaś zareagować. Jeśli usłyszysz cichy płacz, możesz postanowić zostawić malca w spokoju. Jeśli płacz przemieni się w rozpacz, być może będziesz musiała do niego zajrzeć.

Zamiast tego zmień centrum uwagi dziecka. Powiedz:

„Wiem, że czujesz się samotna u siebie w pokoju, ale masz przecież misia, który zawsze dotrzyma ci towarzystwa. Porozmawiaj z nim"

Pomóż dziecku skupić się na tym, jak samo może sobie poradzić z sytuacją. Pokaż, że rozumiesz jego potrzebę towarzystwa, podkreślając jednak, że wystarczy mu odwagi, by przyzwyczaić się do sypiania w swoim pokoju.

Nie obwiniaj. Nie mów:

„To, że twój ojciec pozwala ci spać w swoim łóżku, nie znaczy, że wolno ci spać w moim"

Winiąc ojca (matkę) dziecka za to, że nie chce ono spać w swoim łóżku, nie nauczysz malca, by czuł się odpowiedzialny za dokonywane wybory, i nie przyzwyczaisz go do samotnego sypiania.

Zamiast tego naucz dziecko elastyczności. Powiedz:

„Wiem, że tatuś pozwala ci spać w swoim łóżku, gdy go odwiedzasz, ale tutaj musisz spać u siebie"

Pokaż dziecku, że różne miejsca rządzą się odmiennymi zasadami. Dzięki temu nauczy się dostosowywać do otoczenia, ty natomiast nie będziesz jego wrogiem, lecz sojusznikiem.

CZĘŚĆ IX

DZIECKO ROŚNIE

To magiczne lata... a zatem – magiczne chwile.

—anonim

ROZDZIAŁ 51

„Bobas dostanie twój pokój" „Nie! Nie chcę, żeby bobas dostał mój pokój!"

Ktoś nowy nadchodzi, przejmuje twoją przestrzeń, nigdy sobie nie pójdzie – ktoś, kogo nawet nie znasz. Oto jak czuje się dwuletnie dziecko, gdy mówisz mu, że musi się wyprowadzić ze swojego pokoju, ponieważ zajmie go nowy członek rodziny. By uczynić okres przejściowy łatwiejszym, poproś starsze dziecko o pomoc w przygotowaniu dla niego nowego pokoju. Jeśli to możliwe, razem wybierajcie meble, malujcie ściany, dekorujcie pomieszczenie i prowadźcie wszystkie inne przygotowania na odpowiednio długo przed pojawieniem się noworodka.

Przydatne wskazówki

- Zastanów się nad osobowością swego dziecka, by przewidzieć, jak zareaguje na konieczność przeprowadzki. Czy jest elastyczne, czy też raczej dość trudno przystosowuje się do nowych sytuacji? Wiedza ta pomoże ci wybrać stosowne względem niego zachowanie, gdy będziesz mu pomagać radzić sobie ze zmianą.
- Mów o przyjściu na świat nowego dziecka pozytywnie, tak by starsze dziecko patrzyło na nowego członka rodziny jak na przyjaciela, nie jak na wroga.

Dialog ze sobą

Nie mów sobie:

„Nie chcę, by moje dziecko było smutne, więc zostawię wszystko po staremu"

Choć może cię kusić uniknięcie zmian, nie znajdziesz wówczas przestrzeni potrzebnej dla niemowlęcia, jak również nie nauczysz swojego starszego dziecka radzić sobie ze zmianami. Potrzebuje ono doświadczenia w tym zakresie, by mogło się ćwiczyć w dostosowywaniu się do nich.

Zamiast tego powiedz sobie:

„Jeśli ja poradzę sobie ze zmianami, poradzi sobie również moje dziecko"

Swym entuzjazmem wysyłasz dziecku sygnał, że przenosiny do nowego pokoju są ekscytującym wydarzeniem. Twój przykład uczy je przyjmować zmianę jako wyzwanie, zamiast bać się jej jako zagrożenia.

Nie mów sobie:

„Jestem zdegustowana tym, że nie docenia ciężkiej pracy, którą włożyliśmy w przygotowanie jej nowego pokoju"

Bezwarunkowa miłość oznacza, że daje się, nie oczekując niczego w zamian. Jeśli czujesz się zdegustowana tym, że dziecko nie reaguje pozytywnie na zmianę, sygnalizujesz malcowi, że kochasz go jedynie wówczas, gdy zasługuje na twoją pochwałę.

Zamiast tego powiedz sobie:

„Potrafię zrozumieć, że moje dziecko nie chce oddać swojego pokoju"

Twój malec jest egocentrykiem i nie interesuje go to, jak przygotowałaś jego nowy pokój. Ma kłopoty, bo czuje się wysiedlone ze swego miejsca. Pozytywnym nastawieniem sprawisz, że poczuje twoje wsparcie i miłość, a tym samym łatwiej poradzi sobie ze zmianą.

Nie mów sobie:

„Co się dzieje z moim dzieckiem? Powinno być przecież podekscytowane przeprowadzką do nowego pokoju"

Jeśli uważasz, że z dzieckiem coś się „dzieje", albo że powinno się zachowywać w ten lub inny sposób, oznacza to, iż zakładasz posiadanie kontroli nad jego myślami, uczuciami i zachowaniami. Błąd! Jedynym, co kontrolujesz, jest twoja reakcja na nie.

Zamiast tego powiedz sobie:

„Ja też miałam w życiu problemy z przyzwyczajeniem się do zmian, więc rozumiem, co przeżywa moje dziecko"

Gdy okażesz dziecku empatię, poczuje, że jesteście częścią tej samej drużyny. W efekcie chętniej będzie współpracowało i wykonywało twoje polecenia.

Dialog z dzieckiem

Nie okazuj braku szacunku. Nie mów:

„Nic mnie nie obchodzi, że chcesz zostać w starym pokoju. Będziesz się musiał przyzwyczaić do nowego i już"

Twój brak empatii jest dla dziecka sygnałem, że w sytuacji kryzysowej jesteś jego wrogiem. Z wrogiem nikt nie chce przecież współpracować.

Zamiast tego skup uwagę dziecka na czymś innym. Powiedz:

„Rozumiem, że nie chcesz opuszczać tego pokoju, ale twój nowy pokój jest taki ładny! Porozmawiajmy o wszystkim, co ci się w nim podoba"

Rozmawiając z dzieckiem o zaletach nowego pokoju, wykształcasz w nim przyzwyczajenie, by patrzeć na zmianę pozytywnie.

Nie przekupuj. Nie mów:

„Jeśli oddasz bobasowi swój pokój, kupię ci spinki do włosów, które chciałaś dostać"

Twoim zadaniem jako rodzica jest ustalanie zasad – zadaniem przedszkolaka jest natomiast wystawiać je na próbę. Gdy próbujesz przekupić malca, mówisz mu tym samym, że twoja reguła jest nieistotna – nie musi jej przestrzegać tak długo, aż nie dostanie w zamian jakiejś nagrody. Dziecko musi nauczyć się wykonywać zadania ponieważ wymaga tego reguła, nie zaś dlatego, że coś w zamian dostanie.

Zamiast tego zaproponuj umowę. Powiedz:

„Prosiłaś mnie niedawno, żebym pozwoliła ci zaprosić koleżankę. Kiedy przeniesiesz się do nowego pokoju, będzie mogła do ciebie przyjść. Pokażesz jej, jaki masz ładny pokój"

Reguła Babuni pozawala dziecku poczuć, że ma więcej kontroli nad własnym życiem. To uczucie pomoże mu, gdy będzie się czuło wysiedlone ze swego dawnego miejsca.

Nie ubliżaj. Nie mów:

„Nie mam zamiaru znosić twoich bezsensownych protestów. Przestań zachowywać się jak małe dziecko"

Zachowywanie się jak małe dziecko to to, co twój dwulatek robił dotychczas przez całe życie, nic więc dziwnego, że się sprzeciwia, gdy je za to winisz. Co więcej, z pewnością nie będzie chciało słuchać poleceń, gdy mu powiesz, że jego szczere protesty są bezsensowne.

Zamiast tego zachęcaj do aktywności. Powiedz:

„Potrzebuję twojej pomocy w przygotowaniu starego pokoju dla bobasa. Na pewno wiesz, jak sprawić, żeby maleństwo dobrze się czuło w tym pokoju, bo sam tak bardzo go lubiłeś"

Niech twoje dziecko będzie częścią komitetu powitalnego nowego przybysza. W ten sposób będzie miało w okresie przejściowym ważną rolę, dzięki której skupi swą uwagę na tym, jak odnosić się pozytywnie do swego nowego braciszka lub siostrzyczki, swej tożsamości i swego nowego miejsca zamieszkania.

Nie błagaj. Nie mów:

„Proszę słuchaj się mnie, żebyśmy mogli wykorzystać twój pokój dla maleństwa"

Błagając dziecko, by współpracowało, uczysz je, by samo stosowało tę metodę, gdy chce postawić na swoim. Twoim celem jest zachęcenie malca do wykonywania poleceń poprzez pokazywanie mu, w jaki sposób na tym skorzysta.

Zamiast tego włącz dziecko do przygotowań. Powiedz:

„Chodźmy do centrum handlowego zobaczyć, jak możemy udekorować twój nowy pokój"

Angażując dziecko w proces planowania oraz pytając je o zdanie, wzmacniasz w nim świadomość, że jest właścicielem swego nowego terytorium, a także pokazujesz mu, że jego pomysły są dla ciebie ważne.

Nie dokuczaj. Nie mów:

„Czemu boisz się przenieść do nowego pokoju? Myślisz że mieszkają tam strachy?"

Dokuczając dziecku, pokażesz mu, że nie interesują cię jego uczucia, a także nauczysz je, jak dokuczać innym, by skłonić ich do posłuszeństwa.

Zamiast tego chwal. Powiedz:

„Jesteś dzielna i silna, na pewno poradzisz sobie w nowym pokoju"

Pomagając dziecku skupić uwagę na swych mocnych stronach, uczysz je doceniać własną zdolność radzenia sobie ze zmianami. Jeśli będziesz je w tym wspierać, z radością powita nową sytuację. Wszyscy pragniemy przecież, żeby ktoś utwierdził nas w przekonaniu, że jesteśmy sobie w stanie poradzić.

ROZDZIAŁ 52

„Dziś przyjdzie do ciebie opiekunka” „Nie! Nie chcę opiekunki!”

Twój czterolatek chce, żebyś była przy nim *cały czas*, i nie rozumie, dlaczego mogłabyś go chcieć opuścić, nawet jeśli byliście razem przez cały dzień. Powinnaś zrozumieć, dlaczego robi awanturę, gdy mówisz mu, że wychodzisz i go zostawiasz. By czas rozłąki upływał malcowi mile, znajdź opiekunkę, która podziela jego zainteresowania i potrafi nawiązać z nim kontakt. Pamiętaj, by żegnać się z dzieckiem słodko, ale krótko – żeby dziecko nie nabrało nawyku „wieszania” ci się na szyi gdy wychodzisz.

Przydatne wskazówki

- Spędzaj wieczory poza domem regularnie, tak by dziecko przyzwyczaiło się do zostawania z opiekunką.
- Gdy planujesz spędzić wieczór poza domem, przygotuj dziecko na to odpowiednio wcześniej. Przypominaj o tym w ciągu dnia, tak by malec nie był zaskoczony, kiedy przyjdzie opiekunka, a ty będziesz chciała wyjść.
- Wiele opiekunek staje się dla dziecka „wyjątkowymi przyjaciółkami”, ponieważ kochają się z nim bawić oraz bezpiecznie uczą je nowych umiejętności. Nazywając je właśnie „wyjątkowymi przyjaciółkami” zamiast „opiekunkami”, wzmocnisz więź łączącą dziecko z nimi, tym samym ułatwiając malcowi radzenie sobie z rozłąką z tobą.

Dialog ze sobą

Nie mów sobie:

„Martwię się, kiedy słyszę, jak dziecko płacze, gdy wychodzimy”

Jeśli będziesz sobie mówić, że się martwisz, faktycznie tak będzie. Jedynie ty sprawujesz kontrolę nad swą reakcją na płacz dziecka.

Gdy się martwisz, trudniej jest ci pomóc mu w poradzeniu sobie z rozłąką.

Zamiast tego powiedz:

„Wiem, że moje dziecko nie lubi, gdy wychodzimy, ale jestem pewna, że poradzi sobie z tym"

Mówiąc sobie, że rozżalenie dziecka jest tylko chwilowe, łatwiej dasz sobie radę z jego awanturami, zaś zachowując spokój, pomożesz uspokoić się także jemu.

Nie mów sobie:

„Wygląda na to, że będziemy mogli zacząć wychodzić dopiero wtedy, gdy dziecko jeszcze trochę podrośnie"

Jeśli będziesz zmieniać swoje plany dlatego, że dziecko się złości, nie nauczysz go, jak sobie radzić, gdy nie wszystko idzie po jego myśli. Zamiast tego pokażesz mu, że awanturując się może wpływać na twoje decyzje.

Zamiast tego powiedz sobie:

„Moim zadaniem jest pomóc dziecku radzić sobie ze zmianami"

Potwierdziwszy przed sobą znaczenie długoterminowego celu, poradzisz sobie skuteczniej z podejmowanymi przez dziecko próbami zatrzymania cię przy sobie.

Nie mów sobie:

„Czuję się winna, gdy wychodzę, a jemu jest tak przykro, szczególnie jeśli przez cały dzień był w przedszkolu"

Wina rodzi się, gdy zaczynasz wierzyć, że umieszczając dziecko w przedszkolu robisz coś złego.

Zamiast tego powiedz sobie:

„Cieszę się, że moje dziecko dostaje szansę, by nauczyć się, jak znosić frustrację"

Ponosisz odpowiedzialność za to, by znaleźć dziecku odpowiednią opiekunkę, spisać jej stosowne numery telefonów, poinformować, jakiej opieki wymaga dziecko, oraz obiecać malcowi, że wkrótce wrócisz. Dzięki temu ty doczekasz się zasłużonego odpoczynku, podczas gdy dziecko będzie się ćwiczyć w radzeniu sobie z rozłąką.

Dialog z dzieckiem

Nie poddawaj się. Nie mów:

„No dobrze. Skoro nie chcesz, żebyśmy wychodzili, nie wyjdziemy"

Ulegając protestom dziecka, nie nauczysz go znosić rozłąki z tobą. Musi się tego nauczyć, by w przyszłości stać się samodzielnym i samowystarczalnym.

Zamiast tego okaż empatię. Powiedz:

„Przykro mi, że nie chcesz, żebyśmy wyszli, ale mamusia i tatuś idą na kolację. Gdy wrócimy, przyjdziemy do ciebie i ucałujemy cię na dobranoc"

Okaż dziecku empatię, jednocześnie zachowując stanowczość w kwestii wyjścia. W ten sposób pokażesz dziecku, że zależy ci na jego uczuciach, oraz zapewnisz je, że nic mu się nie stanie pod waszą nieobecność.

Nie upokarzaj. Nie mów:

„Co z tobą? Myślałam, że lubisz swoją opiekunkę!"

Nie sugeruj, że z dzieckiem jest coś nie w porządku, ponieważ nie lubi opiekunki. Dasz mu w ten sposób do zrozumienia, że nie akceptujesz jego uczuć oraz że nie zniesiesz, gdy nie będzie się z tobą zgadzało.

Zamiast tego zachowaj pozytywne nastawienie. Powiedz:

„Dziś przychodzi twoja wyjątkowa przyjaciółka Marta. Lubisz ją i zawsze się dobrze bawicie"

Pomóż dziecku przestać myśleć o zmartwieniu, jakim jest dla niego rozłąka z tobą, i skupić się na zabawie z jego „wyjątkową koleżanką".

Nie gróź. Nie mów:

„Skoro robisz takie awantury, kiedy wychodzimy, zaczniemy się wymykać tak, żebyś o tym nie wiedziała"

Nigdy nie próbuj tej sztuczki! Jeśli powiesz dziecku, że nie poinformujesz go o wyjściu, stracisz jego zaufanie oraz sprawisz, że jeszcze bardziej będzie się bało twojej nieobecności. Na dodatek nauczy się tym sposobem, że i jemu wolno się wymykać bez informowania cię o tym.

Zamiast tego daj wybór. Powiedz:

„W piątek wieczorem wychodzimy z tatą do kina. Powiedz mi, która wyjątkowa przyjaciółka ma do ciebie przyjść?"

Motywuj dziecko do współpracy, pozwalając mu wybrać, kto będzie się nim opiekował pod waszą nieobecność. Poczuje się docenione, ponieważ szanujesz jego zdanie.

Nie zawstydzaj. Nie mów:

„Wstyd mi za ciebie, że robisz taką awanturę przy opiekunce"

Mówiąc dziecku, że jego zachowanie przynosi ci wstyd, sprawisz jedynie, że jeszcze ciężej będzie znosiło rozłąkę. Poczuje, że cię zawiodło i że nie potrafi robić tego, o co je prosisz.

Zamiast tego stosuj pochwały. Powiedz:

„Dziś wieczorem wychodzimy. Przychodzi do ciebie nowe opiekunka, zostanie z tobą do naszego powrotu. Jesteś dzielna i silna, i na pewno poradzisz sobie podczas naszej nieobecności"

Mów dziecku o swoich planach odpowiednio wcześnie, jednocześnie utwierdzając je w przekonaniu, że potrafi dobrze znieść chwilową rozłąkę.

ROZDZIAŁ 53

„Pomóż mi, proszę” „Nie! Nie chcę ci pomagać!”

Ciągle prosisz swego trzylatka, by przyniósł ci czystą pieluchę dla braciszka – a im bardziej cię ignoruje, tym bardziej się na niego złościsz. Zamiast narzekać i zrzędzić, postaraj się zrozumieć jego punkt widzenia. Czy czuje się zazdrosny o maleństwo? Czy nie słyszy cię wystarczająco dobrze? Czy rozumie, o co prosisz? Czy jest zajęty czymś innym? Rozumiejąc jego stanowisko, łatwiej zdecydujesz, w jaki sposób uczyć go współpracy i ofiarności – dwóch cech, które będą mu w życiu poprawiać samopoczucie oraz opinię u innych.

Przydatne wskazówki

- Dawaj dobry przykład empatii, troskliwości i chęci niesienia pomocy, by dziecko zrozumiało ich znaczenie.
- Chwal wszelką pomoc, jaką otrzymasz ze strony dziecka, żeby zachęcić je do powtarzania tego typu zachowań.
- Zanim poprosisz swe starsze dziecko o pomoc, pomyśl, co w danej chwili robi. Być może potrzebuje chwili czasu, by zakończyć swe zajęcia, zanim będzie gotowe ci pomóc.

Dialog ze sobą

Nie mów sobie:

„Nigdy nie chce mi pomóc! Gdzie popełniłam błąd?”

Nie wyolbrzymiaj sytuacji, używając słów takich jak „nigdy” oraz unikaj obwiniania siebie za zaistniałą sytuację. W przeciwnym razie silne negatywne emocje, które się w tobie rodzą, zablokują twoją zdolność rozwiązania problemu.

Zamiast tego powiedz sobie:

„To nic, że nie chce mi pomóc. Poradzę sobie z tym”

Spojrzenie na problem z dystansu pomoże ci skupić się na możliwych rozwiązaniach. Opór dziecka może cię irytować, ale wierząc, że sobie z nim poradzisz, jesteś na najlepszej drodze, by faktycznie to zrobić.

Nie mów sobie:

„Zawsze była samolubna"

Nadając dziecku etykietkę samolubnego, sprawiasz, iż problem staje się czymś stałym. Wzmaga to w tobie poczucie bezradności, zniechęcając do poszukiwania rozwiązań.

Zamiast tego powiedz sobie:

„Moim celem jest nauczenie dziecka, jak być miłą, troskliwą osobą"

Skupiając się na długofalowym celu, zachowujesz koncentrację i nie ustajesz w staraniach, by nauczyć malca współpracy.

Nie mów sobie:

„Doprowadza mnie do szału, kiedy proszę go o pomoc, a on mnie ignoruje"

Nie denerwuj się tym, że dziecko nie reaguje na twoje prośby. To jedynie utrudni ci poszukiwanie rozwiązania zaistniałego problemu.

Zamiast tego powiedz sobie:

„Nie muszę się złościć, gdy moje dziecko nie chce mi pomóc"

To *ty* kontrolujesz własny gniew. Zdecyduj zatem, że będziesz postrzegać sytuację jako okazję do nauczenia malca, jak pomagać innym. Nie traktuj jej natomiast jako kolejnego frustrującego wydarzenia.

Dialog z dzieckiem

Nie groź. Nie mów:

„Nie waż się mnie ignorować, młoda damo! Chodź no tu i mi pomóż, albo zamknę cię w drugim pokoju"

Nie próbuj motywować dziecka kategorycznie żądając od niego posłuszeństwa. Takim postępowaniem nie wyrobisz w nim empatii i troskliwości – cech stanowiących prawdziwą motywację do pomagania innym.

Zamiast tego pochwal. Powiedz:

„Naprawdę potrzebuję twojej pomocy. Jesteś przecież świetnym pomocnikiem!"

Mówiąc dziecku, że potrzebujesz jego pomocy, pokazujesz mu, że jest cenionym członkiem rodziny.

Nie wzbudzaj poczucia winy. Nie mów:

„Co się z tobą dzieje? Cały dzień robię coś dla ciebie, a ty nie ruszysz nawet palcem, żeby mi pomóc!"

Au! Taka reakcja pogarsza samoocenę dziecka oraz jego zdolność przyznawania się do błędów. Nadweręża również łączącą was więź. Sugerując mu natomiast, że tkwi w nim jakaś wada, wysyłasz mu błędny sygnał, że jego zachowanie definiuje to, kim jest.

Zamiast tego zachęć do reakcji. Powiedz:

„Powiedz mi, co myślisz, gdy proszę cię, żebyś przyniósł mi pieluchę dla braciszka"

Okazując dziecku szacunek i prosząc je o podzielenie się z tobą swymi myślami, zyskujesz szansę, by dogłębnie zrozumieć jego zachowanie. Dzięki temu łatwiej będzie ci postanowić, jakie kroki przedsięwziąć, by zachęcić malca do współpracy. Co więcej, dzięki takiej postawie wykształcisz w nim zdrowy nawyk wyrażania swych uczuć.

Nie złość się. Nie mów:

„Doprowadzasz mnie do wściekłości, gdy mnie ignorujesz. Chodź tu natychmiast i mi pomóż!"

Gdy mówisz dziecku, że jest odpowiedzialne za twój gniew, sprawiasz, iż trudniej mu odczuwać empatię. Pokazujesz mu również, jak może panować nad twoimi uczuciami – a to dla niego niewesoła perspektywa, gdyż w rzeczywistości to jedynie *ty* masz nad nimi kontrolę.

Zamiast tego zaproponuj umowę. Powiedz:

„Gdy przyniesiesz mi pieluchę, możemy razem poczytać książeczkę, tak jak mnie o to prosiłaś"

Zastanów się, jak możesz pomóc dziecku w zrealizowaniu twoich priorytetów, a następnie wykorzystaj swe pomysły, by zmotywować je do współpracy. Takie zastosowanie Reguły Babuni pokazuje maluchowi, że zrobiwszy to, o co go prosisz, może oczekiwać, że pomożesz mu w robieniu czegoś, na co on ma ochotę.

Nie strasz. Nie mów:

„Chyba będę musiała poszukać innej dziewczynki, która pomoże mi przy twoim braciszku"

Nie motywuj dziecka strachem! Sugerując, że je porzucisz, nie sprawisz przecież, że będzie ci chciało pomóc. Nauczysz je natomiast, iż twoja miłość nie jest bezwarunkowa – pojawia się i znika w zależności od jego zachowania. Być może skłoni je to do współpracy, ale jedynie po to, by nie stracić twej miłości, nie zaś dlatego, że odczuwa empatię wobec ciebie lub braciszka. Z całego zdarzenia wyciągnie zaś błędną i niebezpieczną lekcję, że to, kim jest, zależy od tego, co robi.

Zamiast tego chwal. Powiedz:

„Dziękuję ci za pomoc. Nie wiem, co bym bez ciebie zrobiła!"

Mówiąc malcowi, że polegasz na jego pomocy, zmotywujesz go do współpracy. W oczach małego dziecka miłość mierzy się ilością pochwał.

ROZDZIAŁ 54

„Idziesz do drugiego pokoju!" „Nie! Nie chcę iść do drugiego pokoju!"

„Odstawienie" jest dobrym sposobem odseparowania dziecka od frustrującej sytuacji oraz sprawienia, by się uspokoiło. Gdy się temu opiera, twoim zadaniem jest delikatnie acz stanowczo zaprowadzić je na właściwe miejsce, na przykład do osobnego pokoju. Jego sprzeciw sam w sobie jest potwierdzeniem, że decyzja, którą podjęłaś, jest słuszna. Ważne jest przy tym, byś zachowała spokój i okazała dziecku ciepło – demonstruj swój szacunek dla niego nawet wówczas, gdy przerywasz jego zabawę i wyganiasz go z pokoju. Twój spokój może sprawić, że malec chętnie się ciebie posłucha.

Przydatne wskazówki

- Nadzoruj dziecko podczas zabawy, tak by móc zainterweniować, zanim jego frustracja wymknie się spod kontroli.
- Izoluj dziecko po to, by uspokoiło się oraz nie zrobiło sobie ani innym krzywdy.
- Przedstawiaj „odstawienie" jako pozytywną konsekwencję kształtującą samokontrolę, nie jako karę za złe zachowanie.
- Stosuj odstawienie jako konsekwencję niedopuszczalnego zachowania (bicie, gryzienie, popychanie, przezywanie itp.), by pokazać dziecku, iż szacunek dla innych jest niezwykle ważny.

Dialog ze sobą

Nie mów sobie:

„Jestem fatalną matką. Gdybym potrafiła zapanować nad dzieckiem, nie zachowywałoby się tak źle i nie musiałabym go za karę wysyłać do drugiego pokoju"

Po pierwsze, to nie ty panujesz na zachowaniem dziecka – jedynie ono może nim sterować. Po drugie natomiast, powinnaś unikać obwiniania się za decyzje dziecka oraz wmawiania sobie, że „odstawianie" go jest czymś złym. Poczucie winy uniemożliwia ci skuteczne radzenie sobie z sytuacją.

Zamiast tego powiedz sobie:

„Zastosuję odstawienie, by moje dziecko trochę się uspokoiło"

Stosuj „odstawienie" w celu uspokojenia dziecka, nie zaś po to, by je upokorzyć lub skrzywdzić. Zamiast czuć się z tego powodu winną, przypomnij sobie, że dzięki temu uczy się ono skupiać uwagę na stosownym zachowaniu.

Nie mów sobie:

„Moje dziecko doprowadza mnie do wściekłości, gdy zawstydza mnie przy znajomych"

Nie obwiniaj dziecka za swój gniew i wstyd. W przeciwnym razie będziesz je chciała ukarać, zamiast uczyć go, by wybierało spokojne zachowanie i współpracę.

Zamiast tego powiedz sobie:

„Jeśli zachowam spokój »odstawiając« dziecko, ono też szybciej się uspokoi"

Zachowując spokój, uczysz dziecko, że samokontrola to skuteczny sposób radzenia sobie w trudnych sytuacjach.

Dialog z dzieckiem

Nie oceniaj. Nie mów:

„Gdybyś nie był takim niegrzecznym dzieckiem, nie musiałbyś teraz iść do drugiego pokoju"

Mówiąc dziecku, że jest niegrzeczne, ryzykujesz stworzenie samospełniającej się przepowiedni. Dziecko powinno się starać sprostać twoim oczekiwaniom, nie zaś równać w dół.

Zamiast tego przypomnij o regule. Powiedz:

„Rozumiem to, że nie chcesz iść do drugiego pokoju, ale zgodnie z regułą, decydując się uderzyć kolegę, zdecydowałeś się na chwilę przerwać zabawę"

Pokaż dziecku, że wybory, których dokonuje, mają przewidywalne konsekwencje.

Nie usprawiedliwiaj. Nie mów:

„No dobrze, wiem, że ci przykro. Nie musisz wychodzić z pokoju"

Nie usprawiedliwiaj dziecka, pozwalając, by uniknęło odpowiedzialności za swe czyny, nawet jeśli uważasz, że w ten sposób rozwiążesz problem. Nauczysz je tym jedynie, że wystarczy powiedzieć „przepraszam", by uniknąć odstawienia.

Zamiast tego zaproponuj umowę. Powiedz:

„Jeśli posiedzisz w drugim pokoju, aż zadzwoni budzik, będziesz mógł wrócić do zabawy"

Reguła Babuni uczy dziecko cierpliwości. Stosując ją, pokazujesz dziecku także to, iż szanujesz jego pragnienie powrotu do zabawy.

Nie wzbudzaj poczucia winy. Nie mów:

„Gdybyś zachowywał się tak, jak należy, nie musiałbyś wychodzić z pokoju"

Unikaj wywoływania w dziecku poczucia winy tylko po to, by tym zmotywować je do współpracy. Nie pokazujesz mu w ten sposób korzyści płynących z decydowania się w chwilach frustracji na właściwe zachowanie.

Zamiast tego zachowaj pozytywne nastawienie. Powiedz:

„W drugim pokoju łatwiej się uspokoisz. Gdy jesteśmy spokojni, podejmujemy właściwsze decyzje i lepiej się bawimy"

Wskaż dziecku zalety przerwania zabawy na kilka chwil. Dzięki temu dziecko nauczy się ważnej lekcji: jak wycofywać się z napiętej sytuacji, gdy zaczyna być podenerwowane.

Nie gróź. Nie mów:

„Powiedziałam ci, żebyś poszedł do swojego pokoju! Wracaj tam natychmiast, albo dostaniesz lanie!"

Grożąc dziecku fizycznym bólem, by zyskać jego współpracę, uczysz je, że groźby są dopuszczalnym narzędziem sprawowania kontroli nad zachowaniem innych. Wpadając w złość, uniemożliwiasz sobie pokazanie malcowi, jak należy się zachowywać.

Zamiast tego okaż empatię. Powiedz:

„Przykro mi, że postanowiłeś nie zostawać w swoim pokoju. Teraz będziesz tam musiał znowu wrócić"

Mówiąc dziecku, że ci przykro, dajesz dobry przykład empatii, jednak każąc mu wrócić do swojego pokoju, sygnalizujesz, że musi przestrzegać reguł.

ROZDZIAŁ 55

„Zostawmy kocyk w domu" „Nie! Chcę wziąć mój kocyk!"

Twój trzylatek wszędzie nosi ze sobą ulubiony kocyk lub smoczek. Obawiasz się, że jeśli go od nich nie odzwyczaisz, zabierze je do przedszkola. Żeby pomóc malcowi rozstać się z tymi przedmiotami, ustal granice ich używania, a także pokaż dziecku inne sposoby dodawania sobie pewności siebie. Osiągając kompromis, zrealizujecie swoje priorytety, zaś zmiana będzie dla was obojga bezbolesna.

Przydatne wskazówki

- Zapewnij dziecku atmosferę pełną ciepła i miłości, by bez obaw zrezygnowało z przedmiotów poprawiających nastrój.
- Ustal zasady regulujące to, kiedy i gdzie dziecko może używać kocyków, smoczków, maskotek itp.
- Urodziny mogą być dobrymi momentami na dokonanie zmian. Możesz wówczas powiedzieć np.: „Teraz, gdy masz pięć lat, możesz zostawiać Pana Misia w domu, gdy idziesz do przedszkola".
- Ustal, że dziecku wolno używać smoczka jedynie w łóżku, uzgodniwszy wcześniej z lekarzem, że smoczek nie uszkodzi malcowi układu zębów lub szczęki.

Dialog ze sobą

Nie mów sobie:

„Nie zniosę dłużej widoku mojego dziecka z tym kocykiem w ręku, gdziekolwiek by nie szło"

Gdy mówisz sobie, że nie możesz czegoś znieść, automatycznie rezygnujesz z szukania metod poradzenia sobie z tym. Negatywne emocje blokują twą kreatywność.

Zamiast tego powiedz sobie:

„Jestem w stanie znieść to, że potrzebuje mieć przy sobie kocyk. W końcu przecież z tego wyrośnie"

Uznając sytuację za „nic wielkiego", pokażesz dziecku, że szanujesz jako potrzebę, by rozstawać się z tymi przedmiotami stopniowo. Nikt nie lubi przecież być do czegoś zmuszanym.

Nie mów sobie:

„Jeśli nie odbiorę jej tego kocyka teraz, będzie z nim chodzić, aż do matury"

Nie wyolbrzymiaj problemu, by nie zacząć wywierać na dziecko nadmiernej presji, żeby zarzuciło swój zwyczaj. Jeśli nie jest na to jeszcze gotowe, jego opór jedynie się wówczas zwiększy, gdyż malec będzie starał się zachować kontrolę nad swoim światem.

Zamiast tego powiedz sobie:

„Moim celem jest wyrobienie w dziecku nowych sposobów dodawania sobie pewności siebie"

Powinnaś zachęcić dziecko do znalezienia nowych metod dodawania sobie pewności siebie, takich jak rysowanie, wykonywanie ulubionych czynności, myślenie o przyjemnych wydarzeniach czy oglądanie książek. Pamiętając o swym celu, nie zniechęcisz się chwilowymi problemami.

Nie mów sobie:

„Muszę odzwyczaić dziecko od złego nawyku, by ludzie przestali na mnie patrzeć, jakbym była złą matką"

Nie opieraj swych decyzji rodzicielskich na domniemanych opiniach innych na twój temat.

Zamiast tego powiedz sobie:

„Nie ma znaczenia, co inni pomyślą o tym, że pozwalam dziecku używać smoczka. Samo z niego zrezygnuje, gdy będzie na to gotowe"

Martwienie się opiniami innych ludzi to strata czasu i energii. I tak nie zmienisz przecież czegoś, na co – jak na zdanie osób trzecich – nie masz wpływu.

Dialog z dzieckiem

Nie gróź. Nie mów:

„Jeśli natychmiast nie wyjmiesz tego smoczka z buzi, wyrzucę ci go"

Nigdy nie zastraszaj swojego dziecka! Groźba wyrzucenia smoczka to surowa kara za przestępstwo, którego nie popełniło. Zamiast pomóc mu poradzić sobie z sytuacją, w ten sposób zwiększasz jedynie jego brak pewności siebie oraz zmniejszasz gotowość do zrezygnowania ze smoczka.

Zamiast tego użyj budzika. Powiedz:

„Możesz ssać smoczek, aż zadzwoni budzik. Potem musisz go odłożyć aż do jutra"

Stosowanie budzika to bezstresowa metoda osiągania zdrowego kompromisu z dzieckiem. Dzięki temu maluch będzie bardziej zmotywowany, by wreszcie z niego zrezygnować.

Nie lekceważ. Nie mów:

„Co z tobą? Nigdzie nie potrafisz pójść bez tego głupiego kocyka?"

Sugerując dziecku, że jest z nim coś nie w porządku, zasugerujesz mu wniosek, że przywiązanie do kocyka jest czymś złym. W istocie korzystanie przez dzieci w wieku przedszkolnym z kocyków lub zabawek jako „samouspakajaczy" jest czymś całkowicie naturalnym. Jeśli się dobrze zastanowisz, być może przypomnisz sobie, że i ty miałaś w jego wieku ulubione „coś", z czym nigdy się nie rozstawałaś.

Zamiast tego ustal granice. Powiedz:

„Wiem, że chcesz zabrać kocyk do biblioteki, ale zgodnie z zasadą możesz go używać tylko w domu"

Ustalając granice używania przedmiotów poprawiających nastrój, sprawisz, że dziecko samo powoli zacznie się od nich odzwyczajać.

Nie przekupuj. Nie mów:

„Jeśli oddasz mi smoczek, kupię ci nowe kredki"

Przekupstwem nie pomożesz dziecku zrezygnować z przedmiotu, który ukochało. Proponując nagrodę, jedynie odwracasz jego uwagę od nauki radzenia sobie ze zmianami.

Zamiast tego przypomnij o regule. Powiedz:

„Pamiętaj, reguła mówi, że smoczka używamy tylko w łóżeczku. Do tego czasu na pewno sobie bez niego poradzisz. Pomyślmy, czym przyjemnym mogłabyś się teraz zająć"

Ograniczając użycie smoczka do określonych pór dnia oraz skupiając uwagę dziecka na innych czynnościach, pomożesz mu stopniowo pozbyć się tego nawyku. Kluczem do pozyskania współpracy dziecka jest okazanie mu wsparcia i miłości.

Nie upokarzaj. Nie mów:

„Głupio wyglądasz i brzmisz z tym czymś w ustach. Wyjmij to, żebym mogła cię zrozumieć"

Nazywając dziecko „głupim", sprawisz jedynie, że jeszcze bardziej będzie potrzebowało smoczka. Wyzywając je, nauczysz je także, by w chwilach frustracji używać tej metody wobec innych.

Zamiast tego okaż empatię. Powiedz:

„Przykro mi. Wiem, że lubisz swój smoczek, ale musisz go wyjmować, żeby ludzie rozumieli, co mówisz"

Grzecznie wyjaśnij dziecku problem, by zrozumiało praktyczną konieczność wyjmowania smoczka z ust. Daj mu przy tym do zrozumienia, że szanujesz to, jak bardzo go lubi.

ROZDZIAŁ 56

„Odwiedzimy babcię w domu spokojnej starości" „Nie!Nie chcę odwiedzać babci!"

Kiedy przychodzi ci poprosić twojego pięciolatka, by pojechał z tobą do starszego członka rodziny, jego współpraca może w twoim pojęciu nabrać wyjątkowego znaczenia. Pamiętaj wówczas, że malec nie ma świadomości, że wizyta będzie wiele znaczyć tak dla niego, jak i dla babci. Skorzystaj z tej okazji, by podzielić się z nim uczuciami, żeby nauczył się, iż przez całe życie powinien stawiać rodzinę na pierwszym miejscu.

Przydatne wskazówki

- Dawaj dziecku dobry przykład życzliwości, empatii oraz troskliwości wobec dziadków i innych starszych członków twej społeczności.
- Unikaj narzekania na konieczność odwiedzenia starszych znajomych lub krewnych, lub też na złe warunki panujące w domu spokojnej starości.

Dialog ze sobą

Nie mów sobie:

„Matka będzie na mnie wściekła, jeśli nie przyprowadzę do niej syna"

Nie zakładaj, że nieposłuszeństwo twojego dziecka sprawi, że ktoś będzie zły na ciebie. Postępując tak, stawiasz się niepotrzebnie pod presją, by zmusić malucha do współpracy.

Zamiast tego powiedz sobie:

„To, że moje dziecko nie chce jechać, nie znaczy, że jest niegrzeczne"

Weź po uwagę fakt, iż opór dziecka może mieć różne przyczyny, włącznie z zaniepokojeniem wyglądem, roztargnieniem lub też nieprzewidywalnym zachowaniem babci.

Nie mów sobie:

„Gdzie popełniłam błąd? Mojemu dziecku nie zależy na babci"

Nie zakładaj, że dziecko jest nieczułe, albo że jego brak empatii to twoja wina. Takie myśli jedynie cię przygnębią. Pamiętaj: to nie ty kontrolujesz uczucia dziecka, lecz ono samo.

Zamiast tego powiedz sobie:

„Moim celem jest pomoc dziecku w wyrobieniu w sobie empatii i współczucia"

Twoim zadaniem jest pielęgnowanie naturalnej empatii dziecka, dostarczając mu częstych okazji do jej okazywania. Pamiętaj o tym długofalowym celu, był łatwiej radzić sobie z jego sprzeciwami.

Nie mów sobie:

„Czuję się winna, gdy moje dziecko nie chce odwiedzić dziadka"

Uczucie winy rodzi się wtedy, gdy wierzysz, że zrobiłaś coś złego. To nie ty ponosisz winę za niechęć dziecka – nie ponosi jej również ono samo. Ma prawo do swoich uczuć, dokładnie tak jak ty masz prawo do swoich.

Zamiast tego powiedz sobie:

„Rozumiem niechęć mojego dziecka, bo i ja nie zawsze mam ochotę jechać"

Wczuwając się w myśli dziecka, łatwiej znajdziesz sposoby zmotywowania go do współpracy. Pamiętaj o złotej regule: traktuj dziecko tak, jak sama chciałabyś być przez nie traktowana.

Dialog z dzieckiem

Nie wzbudzaj poczucia winy. Nie mów:

„Co to ma znaczyć, że nie chcesz jechać? Nie troszczysz się o babcię?"

Stosując poczucie winy jako metodę motywacji dziecka, nie wykształcisz w nim zdolności odczuwania empatii i troski o innych. Zamiast tego sugerujesz mu, że pewne uczucia są niewłaściwe.

Zamiast tego okaż empatię. Powiedz:

„Rozumiem, że nie chcesz odwiedzić babci, ale ona kocha się z tobą spotykać. Wiem, że bardzo by chciała, żebyś do niej przyjechał"

Pomóż dziecku zrozumieć, co czują inni, a wyzwolisz w nim pokłady naturalnej empatii. Daj mu czas, by pomyślało o tym, jak miło jest dawać szczęście innym.

Nie zawstydzaj. Nie mów:

„Babcia będzie na ciebie wściekła, jeśli nie przyjedziesz"

Nie mów dziecku, że jego opór rozgniewa babcię. Jeśli to zrobisz, utrudnisz malcowi identyfikowanie się z nią. Będzie do niej żywił urazę za to, że złości się, gdy on wyraża swe prawdziwe uczucia.

Zamiast tego zachęć do reakcji zwrotnej. Powiedz:

„Powiedz mi, czemu nie chcesz jechać. Pomóż mi to zrozumieć"

Nakłaniając swą pociechę do podzielenia się z tobą swymi myślami, zdobywasz istotne wiadomości, które mogą ci pomóc rozwikłać problem. Być może sprzeciwia się, gdyż wygląd, zapach oraz dźwięki, które kojarzy z domem spokojnej starości, są dla niego przykre. Jeśli w istocie tak jest, zaproponuj dziecku, by zaniosło babci kwiaty, perfumy lub swój rysunek, by uczynić tamto miejsce przyjemniejszym.

Nie przekupuj. Nie mów:

„Jeśli pojedziesz ze mną do babci, w drodze powrotnej zatrzymamy się na pizzę"

Przekupstwem przyzwyczaisz dziecko, że powinno oczekiwać nagrody, kiedykolwiek zrobi coś, o co prosisz. Nie nauczysz go, że dbanie o innych jest nagrodą samą w sobie.

Zamiast tego zaproponuj umowę. Powiedz:

„Gdy odwiedzimy babcię, w drodze do domu możemy się zatrzymać w parku"

Stosując Regułę Babuni, uczysz dziecko spełniać swoje powinności zanim będzie mogło oddać się realizowaniu pragnień. Ta lekcja pozwoli mu w przyszłości nadawać odpowiedni priorytet różnym zadaniom. Jednocześnie malec dowiaduje się, jak panować nad własnym życiem – czyli realizować cel, który przyświeca mu od urodzenia.

Nie okazuj gniewu. Nie mów:

„Mam po dziurki w nosie twoich sprzeciwów. Wsiadaj do samochodu!"

Twój gniew jeszcze bardziej przestraszy dziecko. Sugestia, że twoja miłość nie jest bezwarunkowa, będzie dla niego sygnałem, by zachować posłuszeństwo, jeśli chce się nią cieszyć – to dla niego przerażająca perspektywa.

Zamiast tego zaproponuj korzyść. Powiedz:

„Zawieźmy babci twój dzisiejszy rysunek. Bardzo się jej spodoba i będzie jej miło, że jej go pokazałeś"

Koncentrując uwagę dziecka na sprawieniu babci przyjemności, odwołasz się do jego naturalnej empatii. Podkreślając, że starsza pani kocha jego rysunki, wzmocnisz więź między nimi.

ROZDZIAŁ 57

„Idź sam"
„Nie! Chcę na ręce!"

Nie ma jak być niesionym przez kochających mamę lub tatę. Twój dwulatek dobrze o tym wie, więc chce, by przyjemność, którą pozwoliłaś mu poznać, trwała jak najdłużej. Spełniaj tę zachciankę, gdy tylko się da – jednak gdy nie możesz nieść dziecka, pamiętaj, że możesz pomóc mu chodzić samodzielnie, nie pozbawiając go czułego dotyku.

Przydatne wskazówki

- Ustal zasady regulujące, jak długo możesz trzymać dziecko na rękach podczas jednego wyjścia.
- Chwal dziecko za to, że chodzi samodzielnie.
- Pamiętaj, że dziecko ma krótsze nogi niż ty i nie potrafi chodzić równie szybko.
- Stopniowo zwiększaj jego tolerancję na samodzielne chodzenie. Zaczynaj od krótkich spacerów po okolicy, następnie wydłużając trasę, w miarę jak rośnie jego wytrzymałość.
- Ograniczaj użycie wózka, by dziecko nauczyło się czerpać przyjemność z chodzenia, a także dla zapewnienia mu niezbędnego ruchu.

Dialog ze sobą

Nie mów sobie:

„Jestem wyczerpana, ale jeśli chce, mogę ją ponosić. Nie zawiodę jej przecież"

Gdy mówisz sobie, że jesteś wyczerpana, trudniej ci znaleźć siłę, by zapanować nad sytuacją. Jeśli decydujesz, że nie możesz czegoś zrobić, podświadomie dostosowujesz swe zachowanie do tego postanowienia.

Zamiast tego powiedz sobie:

„Potrafię sobie poradzić z rozczarowaniem dziecka, gdy nie mogę go wziąć na ręce"

Patrz na rozczarowanie dziecka z odpowiedniej perspektywy: ma prawo do swoich uczuć, ty zaś masz prawo do swoich. Pamiętaj, że nie zawsze będziesz w stanie spełnić jego pragnienia, zatem musi się ćwiczyć w radzeniu sobie z niezadowoleniem.

Nie mów sobie:

„Ale to moje dziecko leniwe!"

Określając dziecko mianem leniwego, uznajesz, że problem jest nierozwiązywalny. Prawda jest natomiast taka, że pewnego dnia twoja pociecha będzie za duża, byś ją nosiła, i sama będzie chciała chodzić.

Zamiast tego powiedz sobie:

„Nic nie pomoże, jeśli będę się na nie wściekać"

Zrozum, że to *ty* panujesz nad swoim gniewem – ten zaś nie sprzyja pielęgnowaniu więzi z dzieckiem. Przyjmij odpowiedzialność za rozwiązanie problemu, a nabierzesz energii i pewności siebie, potrzebnych, by podołać zadaniu.

Nie mów sobie:

„Powinnam ją nosić na rękach"

Mówiąc sobie, że „powinnaś" coś robić, sugerujesz, że jest tylko jeden właściwy sposób rozwiązania problemu. Nie zapominaj, że musisz zarówno dbać o siebie, jak i o to, by dziecko wyrosło na silną i niezależną osobę.

Zamiast tego powiedz sobie:

„Rozumiem pragnienie mojego dziecka, bym je wzięła na ręce"

Zrozumienie potrzeb dziecka pozwoli ci na znalezienie życzliwych i rozsądnych sposobów nauczenia swej pociechy, jak radzić sobie z rozczarowaniem.

Dialog z dzieckiem

Nie upokarzaj. Nie mów:

*„Dlaczego nie możesz iść sama?
Chcesz wyrosnąć na lenia i grubasa?"*

Sugestia, że w przyszłości twoje dziecko będzie grube i leniwe, nie uczy go, jak przezwyciężyć potrzebę bycia niesionym – a do tego może się okazać samospełniającą się przepowiednią.

Zamiast tego zaproponuj alternatywę. Powiedz:

*„Chciałabym cię ponieść, ale mam zajęte ręce.
Gdy wrócimy do domu, możesz mi usiąść na kolanach,
gdy będziemy czytać książeczkę"*

Proponując dziecku inną opcję, pokazujesz mu, że szanujesz jego pragnienie by się przytulić oraz że będziesz z nią współpracować nad znalezieniem najlepszego możliwego sposobu zrobienia tego. Cóż to będzie za lekcja pracy zespołowej!

Nie przekupuj. Nie mów:

*„Jeśli będziesz szedł samodzielnie,
zatrzymamy się i kupimy ci lody"*

Przekupując dziecko jedzeniem, pokazujesz, że będziesz je nagradzać za każdym razem, gdy cię posłucha. Jednocześnie kojarzysz jedzenie z twoją akceptacją – postępowanie takie może skutkować zaburzeniami odżywiania i otyłością dziecięcą.

Zamiast tego zaproponuj umowę. Powiedz:

*„Przykro mi, że nie mogę cię teraz ponieść,
ale za to robiąc zakupy możemy się trzymać za ręce"*

Propozycją atrakcyjnego kompromisu okazujesz wrażliwość na potrzeby dziecka, nie narażając przy tym swoich własnych.

Nie wzbudzaj poczucia winy. Nie mów:

*„Nie wiesz, że jestem zmęczona? Myślisz wyłącznie o sobie!
A teraz idź sobie sama"*

Wpędzając malca w poczucie winy, nie zmotywujesz go do chodzenia i nauki samodzielności. W zamian za to, nauczy się słuchać twoich poleceń tylko dlatego, że odmową mógłby cię zranić. Nie chcesz przecież, by twoje dziecko bało się mówić ci o swoich uczuciach!

Zamiast tego reaguj pozytywnie. Powiedz:

„Tak dobrze sobie radzisz. Jestem pewna, że możesz iść sama jeszcze przez chwilę"

Chwaląc dziecko, motywujesz je do dalszych starań. Jego duma z własnych osiągnięć wpłynie na większą chęć samodzielnego maszerowania.

ROZDZIAŁ 58

„Wyjmij palec z ust" „Nie! Chcę possać palec!"

Wiele już wojen o ssanie palca stoczyli rodzice ze swymi przedszkolakami. Amerykańska Akademia Stomatologii Dziecięcej uważa, że większość dzieci z własnej woli przestaje to robić między drugim a czwartym rokiem życia. Jej zdaniem ssaniem palca należy się zacząć martwić dopiero wówczas, gdy dziecku około piątego roku życia zaczynają rosnąć stałe przednie zęby. Możesz zachęcać swą pociechę, by trzymało palec z dala od ust po to, by uniknąć podrażnień, infekcji, zgrubień itp. Z drugiej jednak strony, uszanuj fakt, że ssanie palca jest dla niego łatwym i wygodnym sposobem poprawienia sobie nastroju.

Przydatne wskazówki

- Regularnie chodź z dzieckiem do dentysty, by ocenił, czy ssanie palca nie powoduje jakichkolwiek szkód.
- Poproś dentystę o pomoc w zachęcaniu dziecka, by powstrzymywało się od ssania palca.

Dialog ze sobą

Nie mów sobie:

„Tak się martwię, gdy moje dziecko ssie kciuk"

Martwiąc się i oczekując najgorszego, przestajesz kreatywnie myśleć nad możliwymi rozwiązaniami problemu.

Zamiast tego powiedz sobie:

„Nie będę się martwić o to, że moje dziecko ssie palec. W zamian za to będę się starała znaleźć jakieś rozwiązanie"

Gdy postanowisz się nie martwić, łatwiej będzie ci wymyślić sposób, by pomóc dziecku nie wkładać palca do ust. Na dodatek, pozytywne myślenie wpłynie korzystnie na twoje zdrowie.

Nie mów sobie:

„Co powie moja matka, jeśli mały wciąż będzie ssał palec?"

Zaprzątając sobie głowę opinią osób trzecich, stawiasz się pod presją, by przypodobać się innym. To z kolei zwiększa ryzyko, że zaczniesz naciskać na dziecko, by zarzuciło swój nawyk. Gdy skupiasz całą uwagę na zdaniu innych, tracisz z oczu bieżące zadanie.

Zamiast tego powiedz sobie:

„Moim zadaniem jest robienie tego, co najlepsze dla dziecka"

Pamiętaj, że twą rolą jako rodzica i wychowawcy jest zmotywowanie dziecka do tego, by nie wkładało palca do ust.

Nie mów sobie:

„Powinnam była już dawno zmusić dziecko, żeby przestało ssać palec"

Obwiniając się, nie pomożesz dziecku nauczyć się nie wkładać palca do ust – ograniczysz natomiast swą zdolność znajdywania rozwiązań. Gdy myślisz negatywnie, twój umysł zamyka się.

Zamiast tego powiedz sobie:

„Jeśli zachowam spokój, mam większą szansę pomóc dziecku poradzić sobie z tym problemem"

Gdy się nie denerwujesz, myślisz racjonalnie, a co za tym idzie, możesz pracować nad znalezieniem odpowiedniego rozwiązania. Zachowując spokój, sprawiasz również, że twój język ciała jest pozytywny, a to zachęca dziecko do podjęcia współpracy.

Dialog z dzieckiem

Nie groź. Nie mów:

„Wyjmij palec z ust, albo posypię go papryką!"

Grożąc posypaniem palca dziecka papryką (albo też pieprzem lub posmarowania mydłem), pokazujesz mu, że jesteś gotowa zadań mu ból, by zmusić je do współpracy.

Zamiast tego okaż empatię. Powiedz:

„Wiem, że ciężko ci trzymać palec z dala od buzi. Poszukajmy innych przyjemnych rzeczy, dzięki którym będziesz miał zajęte ręce"

Daj dziecku poczuć, że rozumiesz, jak trudno jest mu powstrzymać się od ssania palca. Dzięki temu sprawisz, że malec zaufa twoim słowom. Gdy poczuje, że mu sekundujesz, chętniej podejmie współpracę.

Nie przekupuj. Nie mów:

„Jeśli nie będziesz władała palca do ust, kupię ci nowy rower"

Obiecując dziecku dużą nagrodę w zamian za to, że zrobi, o co je prosisz, uczysz je upominać się o kolejne obietnice, ilekroć o coś je poprosisz.

Zamiast tego ćwicz alternatywne zachowania. Powiedz:

„Poćwiczmy siedzenie na rękach podczas oglądania telewizji. Dzięki temu nie będzie cię korcić, żeby włożyć palec do buzi. Bardzo dobrze to robisz!"

Ucząc dziecko czynności zapobiegawczych, pomożesz mu osiągnąć cel, który przed nim postawiłaś. Z kolei chwaląc jego zachowanie, zachęcisz malca do jego powtarzania.

Nie dyskredytuj. Nie mów:

„Nic mnie nie obchodzi, co mówi ci ojciec, gdy jesteś u niego w domu. Ja każę ci wyjąć ten palec z ust!"

Dyskredytując słowa drugiego rodzica, uczysz dziecko „dzielić i rządzić", by zdobyć, czego chce. Powinniście prezentować zwartą, konsekwentną postawę w najlepiej pojętym interesie dziecka.

Zamiast tego przypomnij dziecku o celu. Powiedz:

„Nie wkładając palca do buzi, pomagasz rosnąć nowym stałym ząbkom"

Przypomnij dziecku o ostatecznym celu: dbaniu o zęby. Zachowaj przy tym pozytywny ton, tak by dziecko skoncentrowało się na tym, co ma zrobić, zamiast na tym, czego mu nie wolno.

ROZDZIAŁ 59

„Czas iść do ubikacji" „Nie! Nie chcę iść do ubikacji!"

Przyczyny takiego sprzeciwu są tak różne, jak różne są dzieci: maluch może nie chcieć sobie przerywać zabawy, bać się korzystać z toalety w obcych miejscach, nie czuć potrzeby itp. Poproś swego trzylatka, by powiedział ci, co myśli, gdy odmawia pójścia do ubikacji. Uzbrojona w tę wiedzę, będziesz mogła uczynić to doświadczenie tak łatwym i wygodnym, jak to tylko możliwe, czy to w domu, czy poza nim.

Przydatne wskazówki

- Nie pytaj dziecka bez przerwy, czy nie potrzebuje iść do toalety. Może wówczas zacząć polegać na twoich pytaniach, zamiast samo zgłaszać swe potrzeby.
- Zachęcaj dziecko do pójścia do ubikacji przed długą jazdą samochodem oraz przed innymi wycieczkami.
- Unikaj narzekania na konieczność zrobienia przerwy na wizytę w toalecie. Pamiętaj o tym, że twoje zachowanie jest zaraźliwe.

Dialog ze sobą

Nie mów sobie:

„Mam ochotę wyć, kiedy nie chce iść do ubikacji, kiedy o to proszę, a potem ma wpadkę"

Gdy mówisz sobie, że złości cię zachowanie twojego dziecka, oddajesz mu kontrolę nad własnymi uczuciami. To *ty* decydujesz, jak się będziesz czuć w danej sytuacji.

Zamiast tego powiedz sobie:

„Niechęć do chodzenia do toalety jest normalna w tym wieku"

Podchodź spokojnie do oporu swojego dziecka. Nie denerwuj się, tak by móc je nauczyć, jak należy załatwiać swoje potrzeby fizjologiczne.

Nie mów sobie:

„Co się dzieje z moim dzieckiem? Dzieci moich znajomych same chodzą do toalety, jeśli potrzebują"

Może cię kusić myśl, że dziecko nigdy nie dorówna innym dzieciom, jeśli nie będzie robić, o co prosisz. Lepiej jednak unikać porównań z rówieśnikami, jak również przypuszczeń co do ich umiejętności.

Zamiast tego powiedz sobie:

„Nie interesuje mnie, czy inne dzieci nie miewają już w tym wieku wpadek. Wiem, że z moim wszystko jest w porządku"

Kiedy przestaniesz porównywać swe dziecko do innych, możesz skupić się na jego wyjątkowym przypadku. Wierząc w słuszność swoich decyzji, najlepiej pomożesz dziecku.

Nie mów sobie:

„Mam dość tego, że moje dziecko odmawia chodzenia do ubikacji. Zacznę je znów ubierać w pieluchy"

Unikając problemu, jedynie zdezorientujesz dziecko – nie nauczysz go natomiast samodzielnie chodzić do ubikacji. Choć problem może być frustrujący, to dobra okazja, by ćwiczyć w sobie cierpliwość i tolerancję – dwie umiejętności, które powinien posiadać każdy rodzic.

Zamiast tego powiedz sobie:

„To także minie. Wiem, że moje dziecko w końcu nauczy się korzystać z toalety"

Patrząc w przyszłość, łatwiej zaakceptujesz niechęć dziecka do korzystania z toalety bez przypominania.

Dialog z dzieckiem

Nie krzycz. Nie mów:

„Kiedy ci każę iść do ubikacji, nie żartuję! A teraz marsz do łazienki!"

Apodyktycznym zachowaniem możesz próbować robić wrażenie, że kontrolujesz zachowanie dziecka, jednak nie nauczysz go w ten sposób słuchać się i współpracować. Możesz kontrolować jedynie swoje *reakcje* na zachowanie malucha.

Zamiast tego chwal dziecko. Powiedz:

„Dziękuję, że poszłaś do łazienki, kiedy cię o to prosiłam. Teraz będziesz miała sucho, a wiem, jak bardzo to lubisz"

Dziękując dziecku za skorzystanie z toalety i przypominając mu, jak ważne jest zachowanie suchości, zachęcisz je do kontynuacji współpracy. Ponieważ twoja pociecha łaknie akceptacji, chwal ją często, gdy wypełnia twoje polecenia.

Nie groź. Nie mów:

„Jeśli natychmiast nie pójdziesz do ubikacji, zaraz się wścieknę. Chyba nie chcesz, żebym się wściekła, prawda?"

Motywując dziecko za pomocą gniewu, zmniejszysz jego zdolność odczuwania empatii. Chcesz przecież, by dbało o innych i traktowało ich z szacunkiem – dlatego też ty traktu je tak, jak chciałabyś, by traktowało ciebie i innych ludzi.

Zamiast tego zachęcaj do ćwiczeń. Powiedz:

„Przećwiczmy korzystanie z toalety. Chodźmy z kuchni do łazienki. Teraz podnieśmy deskę..."

Ćwiczenie przechodzenia do łazienki z różnych części domu może pomóc zmotywować malca do samodzielnego dbania o to, by miał sucho. Zachęcaj go, by korzystał z toalety zarówno wtedy, gdy czuje potrzebę, jak i wtedy, gdy go o to prosisz (przed wycieczkami samochodowymi, przed snem itp.).

Nie przekupuj. Nie mów:

„Jeśli pójdziesz do łazienki, dam ci cukierka"

Przekupstwem uczysz dziecko, że za współpracę należy mu się nagroda.

Zamiast tego zaproponuj umowę. Powiedz:

„Wiem, że nie chcesz teraz iść do ubikacji, ale kiedy już pójdziesz, po powrocie będziesz się mogła dalej bawić swoimi zabawkami"

Stosując Regułę Babuni, motywujesz dziecko, by zadbało o dopełnienie obowiązków przed rozpoczęciem zabawy. To dla niego bardzo ważna lekcja.

Nie przypinaj etykietek. Nie mów:

„Poddaję się. Mam po dziurki w nosie twojego uporu"

Mówiąc dziecku, że jest uparte, dajesz mu przykry sygnał, że jego osoba i jego zachowanie to jedno i to samo. W rzeczywistości zachowanie twej pociechy może zmieniać się z właściwego w niewłaściwe, jednak *zawsze* zasługuje na twą miłość, niezależnie od tego, co robi.

Zamiast tego delikatnie przypominaj. Powiedz:

„Sprawdź majtki. Czy są suche? Prawda, że miło jest mieć suche?

Skłaniając dziecko do sprawdzenia majtek, przypominasz mu, że powinno iść do ubikacji, jeśli chce mieć sucho.

ROZDZIAŁ 60

„Poczytam ci"
„Nie! Nie chcę, żebyś mi czytała!"

Gdy usłyszysz ten protest po raz pierwszy, możesz pomyśleć: „O nie! Mój czterolatek *nigdy* nie polubi czytania!", albo też: „Ale on *musi* lubić, jak mu czytam! *Każde* dziecko to lubi!". Twój malec może nie mieć ochoty słuchać, jak mu czytasz na przykład dlatego, że ma problemy z siedzeniem spokojnie, nie podoba mu się książka, którą wybrałaś, nie rozumie wszystkich słów, albo też skupia się w danej chwili na czymś innym. Postaraj się znaleźć przyczynę jego oporu, kiedykolwiek mówi „nie".

Przydatne wskazówki

- Niech czytanie będzie częścią zwykłego rozkładu dnia, tak by dziecko z góry oczekiwało na ten moment.
- Dziecko powinno widzieć, że sama także codziennie czytasz. Twój dobry przykład zmotywuje je, by też miało na to ochotę.
- Ogranicz czas poświęcany na telewizję, proponując czytanie, gdy dziecko ma ochotę na rozrywkę.
- Unikaj narzekania, że co wieczór musisz dziecku czytać tę samą książkę. Dzieci znajdują ukojenie w stałości i powtarzalności, zatem znajdź sposoby podtrzymania swego entuzjazmu.

Dialog ze sobą

Nie mów sobie:

„Nienawidzę, gdy dziecko nie chce, bym mu czytała. Jeśli nie lubi czytać, nigdy nie dostanie się na dobre studia"

Wyolbrzymianie skutków oporu dziecka sprawi, że na jego protesty będziesz reagować przesadnie. „Nienawidzenie" odmowy dziecka jest z twojej strony świadomym wyborem – podobnie jak bycie nim „zaintrygowanym" lub „zaciekawionym". Decydując się na pozytywną reakcję, łatwiej rozwiążesz problem.

Zamiast tego powiedz sobie:

„To, że nie chce, żebym mu teraz czytała, nie znaczy jeszcze, że w przyszłości sam nie będzie chciał czytać"

Nie zapominaj, że brak zainteresowania czytaniem jest u twojego dziecka przejściowy.

Nie mów sobie:

„Czuję się urażona, gdy moje dziecko nie chce, bym mu czytała. Wiem, że ojcu na to pozwala"

Nie odbieraj odmowy dziecka osobiście. Gdy odrzuca ono twoją propozycję, by mu poczytać, nie oznacza to, że odrzuca ciebie.

Zamiast tego powiedz sobie:

„Nie potraktuję tego osobiście, gdy moje dziecko nie będzie chciało, żebym mu czytała"

Gdy dziecko odmawia słuchania, jak mu czytasz, pamiętaj o długofalowych celach, którymi są: zaszczepienie w nim miłości do książek, do wspólnego spędzania czasu oraz do wykorzystywania wyobraźni. Łatwiej ci będzie wówczas znieść jego odmowę, a także nie poprzestawać w staraniach, by zachęcić malca, do słuchania.

Nie mów sobie:

„Złości mnie, gdy mówi mi, że mam mu nie czytać"

Twoja złość nie sprawi, że dziecko zainteresuje się książkami. Jego odmowa sama w sobie jest czymś neutralnym – to twoja reakcja określa ją jako pozytywną lub negatywną.

Zamiast tego powiedz sobie:

„Potrafię sobie poradzić z chwilowymi komplikacjami w uczeniu dziecka miłości do książek"

Utwierdzając się w świadomości, że jesteś w stanie znieść odmowę ze strony dziecka, otwierasz się na różnorodne rozwiązania problemu. Gdy zachowujesz spokój, sygnalizujesz malcowi, że szanujesz jego uczucia i opinie nawet wówczas, gdy różnią się od twoich.

Nie mów sobie:

„Jeśli nie będzie lubił czytać, jego wychowawcy pomyślą, że jestem złą matką"

Martwiąc się czymś, nad czym nie masz władzy – na przykład reakcją wychowawcy – odwracasz swoją uwagę od zabiegania o to, by dziecko lubiło porę czytania.

Zamiast tego powiedz sobie:

„Nie będę się martwić tym, co myślą inni ludzie. Moim zadaniem jest pomóc dziecku pokochać czytanie"

Skup swą uwagę nie na tym, by przypodobać się innym, lecz na tym, by pomóc dziecku w wyrobieniu miłości do książek, która zostanie mu na całe życie.

Dialog z dzieckiem

Nie reaguj przesadnie. Nie mów:

„Co się z tobą dzieje? Dlaczego nie chcesz, żebym ci czytała?"

Nie sugeruj, że z dzieckiem coś jest nie w porządku, ponieważ nie chce czegoś zrobić. W ten sposób uczysz je bowiem, że niezgadzanie się z tobą jest czymś złym. Na domiar złego, pytając „dlaczego", sprawiasz, że malec musi się bronić.

Zamiast tego zachęć do reakcji zwrotnej. Powiedz:

„Pomóż mi zrozumieć powody tego, że nie chcesz, żebym ci czytała"

Prosząc dziecko o reakcję zwrotną, zdobędziesz wartościową wiedzę, która pomoże ci odpowiednio dostosować swoje podejście do problemu, a także sprawić, że dziecko stanie się bardziej otwarte.

Nie obwiniaj. Nie mów:

„Specjalnie znajduję czas, żeby ci poczytać, a ty mi odmawiasz? Co z tobą?"

Wywołując w dziecku poczucie winy, nie nauczysz go współpracy. Spowodujesz jedynie, że zacznie tłumić w sobie emocje, nie ufając już, że zaakceptujesz je, jeśli się nimi szczerze podzieli.

Zamiast tego zaproponuj umowę. Powiedz:

„Gdy poczytamy razem, aż zadzwoni budzik, będziesz mogła pobawić się zabawkami"

Szanuj priorytety dziecka, jednocześnie realizując swoje własne. Ty chcesz mu czytać; ono chce się bawić. Reguła Babuni pozwala dziecku robić to, co chce, po tym, jak zrobi, o co je prosisz.

Nie stawiaj żądań. Nie mów:

„Czytanie jest bardzo ważne, więc będę ci czytać, czy tego chcesz, czy nie"

Zmuszając dziecko, by słuchało, jak mu czytasz, nie zaczepisz w nim pragnienia czytania. Nikt nie lubi być zapędzany pod ścianę, zatem nie rób tego swemu malcowi.

Zamiast tego zachowaj pozytywne nastawienie. Powiedz:

„Tak dobrze bawiliśmy się wczoraj przy czytaniu książeczki. Na pewno dziś będzie równie przyjemnie"

Przypomnieniem, jak miły był w przeszłości czas czytania, możesz zmotywować dziecko, by chciało powtórzyć tę przyjemność. Zachowując pozytywne nastawienie, dajesz mu szansę podzielenia twego entuzjazmu.

CZĘŚĆ X

ZDROWIE

Źródłem największych problemów w naszym życiu są nie tyle sytuacje, w których się znajdujemy, co nasza wątpliwość w to, że potrafimy je przezwyciężyć.

—Susan Taylor

ROZDZIAŁ 61

„Załóż okulary"
„Nie! Nie chcę nosić okularów!"

Kto chciałby nosić na twarzy coś, co spada mu z nosa, czochra włosy i robi się całe brudne, kiedy tylko się je dotknie? Na pewno nie pięciolatek! Być może dorośli uważają, że okulary są modne, jednak dzieci widzą w nich zwykle wyłącznie duży problem. Zachowaj pozytywne nastawienie oraz nie szczędź dziecku komplementów, tak by zobaczyło, że okulary są jego oknem na świat.

Przydatne wskazówki

- Ustal zasady określające, kiedy dziecko powinno nosić okulary.
- Unikaj narzekania na wysoki koszt okularów lub na to, że sama musisz je nosić. Pamiętaj, że twoje nastawienie jest zaraźliwe.
- Chwal okulary, które noszą inni, tak by dziecko zobaczyło, że twoim zdaniem okulary są fajne.

Dialog ze sobą

Nie mów sobie:

„Moje dziecko zawsze narzeka, nawet na coś tak niewinnego jak okulary"

Wyolbrzymiając pretensje dziecka słowami takimi jak „zawsze", sprawiasz, że opór staje się trudniejszy do przezwyciężenia. Narzeka na okulary, nie na wszystko.

Zamiast tego powiedz sobie:

„Rozumiem jego niechęć do noszenia okularów. Ja też w jego wieku musiałam nauczyć się je lubić"

Empatia jest bardzo istotna w uczeniu dziecka, by zaakceptowało konieczność noszenia okularów. Pomagając mu radzić sobie z drobnym dyskomfortem, zwiększysz jego tolerancję na przyszłe, dużo większe niedogodności.

Nie mów sobie:

„Nic mnie już nie obchodzi, czy będzie nosił okulary, czy nie. Nie mam siły o to z nim walczyć"

Nie poddawaj się, gdy w grę wchodzi zdrowie i bezpieczeństwo twojego dziecka. Jego dobro jest ważniejsze od twojej niewygody.

Zamiast tego powiedz sobie:

„Pomoc dziecku w przyzwyczajeniu się do noszenia okularów jest moim obowiązkiem jako rodzica"

Miej zawsze na względzie potrzeby dziecka, zachęcając je do noszenia okularów. Przypominaj mu, że musi je nosić, by dobrze widzieć świat i by bezpiecznie się w nim poruszać.

Dialog z dzieckiem

Nie wzbudzaj poczucia winy. Nie mów:

„Dużo zapłaciłam za te okulary, więc musisz je nosić"

Nie oczekuj od dziecka, że będzie robiło to, co mu każesz, po to, by *tobie* poprawić samopoczucie.

Zamiast tego zachęć do odzewu. Powiedz:

„Powiedz mi, co ci się nie podoba w twoich okularach"

Pytając dziecko o zdanie, możesz uzyskać wiele wartościowych informacji, które pomogą ci opracować plan zachęcenia go do współpracy. Jeśli na przykład powie, że okulary uwierają je w nos, możesz odpowiednio dostosować noski.

Nie strasz dziecka. Nie mów:

„Jeśli nie będziesz nosiła okularów, spadniesz ze schodów i zrobisz sobie krzywdę"

Prognozując, że niestosowanie się do twoich poleceń będzie miało katastrofalne skutki, uczysz dziecko, by nosiło okulary ze strachu, nie zaś dlatego, że pomogą mu one poruszać się po świecie.

Zamiast tego zaproponuj grę. Powiedz:

„Zobaczymy, jak długo potrafisz nosić okulary. Ustawię budzik, a ty zdejmiesz je dopiero gdy zadzwoni"

Poprzez stawianie dziecku kolejnych celów, przyzwyczaisz je do noszenia okularów. Każdego dnia stopniowo wydłużaj czas, a niedługo okaże się, że twoja pociecha ma je na nosie od rana do wieczora!

Nie ignoruj uczuć dziecka. Nie mów:

„Nie obchodzi mnie, że inne dzieci śmieją się z ciebie. Nie chcę o tym nawet słyszeć"

Twój brak empatii niweczy wszelką chęć współpracy ze strony dziecka, mówiąc mu, że jest skazane tylko na siebie. Świat bez twego wsparcia będzie dla malca naprawdę przerażającym miejscem!

Zamiast tego zachowaj pozytywne nastawienie. Powiedz:

„Wiem, że nie lubisz nosić okularów, ale gdy masz je na nosie, widzisz wszystko dużo lepiej"

Wskazując na zalety wykonywania twoich poleceń, pomagasz dziecku patrzeć na sprawę szerzej niż tylko przez pryzmat chwilowego dyskomfortu związanego z przyzwyczajaniem się do noszenia okularów. Niech twoja pociecha wie, że jesteś po jej stronie.

Nie błagaj. Nie mów:

„Proszę, załóż okulary. Zrób to dla mamusi!"

Błagając dziecko o posłuszeństwo, sprawisz, że poczuje się winne, jeśli nie będzie chciało wykonać twojej prośby. Na domiar złego, nauczysz je, by samo podobną metodą nakłaniało innych do współpracy.

Zamiast tego przypomnij o regule. Powiedz:

„Zasada mówi, że musisz nosić okulary przez cały dzień"

W ten sposób pomagasz dziecku zrozumieć, że jesteś jego sprzymierzeńcem w staraniach o osiągnięcie wspólnego celu: przestrzegania reguły.

ROZDZIAŁ 62

„Teraz natrę cię olejkiem do opalania" „Nie! Nie chcę olejku do opalania!"

Dla niektórych pięciolatków rozcieranie na ciele tłustego, cuchnącego olejku do opalania (lub płynu przeciw owadom) to istny koszmar! Choć twoje dziecko może protestować przeciw nakładaniu olejku, gdy idzie popływać lub pobawić się w parku, wyrządzisz wam obojgu przysługę, wprowadzając w życie odpowiednią regułę. Zadbaj przy tym o własną konsekwencję, pozwalając dziecku natrzeć olejkiem ciebie.

Przydatne wskazówki

- Wybierz olejek do opalania (lub płyn przeciw owadom), który jest zarówno skuteczny, jak i bezpieczny dla małych dzieci.
- Wprowadź zasady, które będą określały, gdzie i kiedy dziecko musi używać olejku do opalania oraz płynu przeciw owadom.

Dialog ze sobą

Nie mów sobie:

„Nie cierpię, jak moje dziecko się wykręca, gdy próbuję je natrzeć olejkiem do opalania"

Mówiąc sobie, że nie cierpisz zachowania dziecka, zwiększysz własną frustrację i złość, niwecząc przy tym swą umiejętność twórczego myślenia. Dużo trudniej jest sobie poradzić, gdy umysł mówi: „Nie cierpię", „nienawidzę".

Zamiast tego powiedz sobie:

„Potrafię sobie poradzić z odrobiną oporu"

Twoja zdolność do znoszenia różnych sytuacji zależy od charakteru twojego wewnętrznego dialogu, na jaki się zdecydujesz – zatem wybieraj mądrze. Gdy twierdzisz, że nie poradzisz sobie z odmową dziecka, faktycznie może się tak stać.

Nie mów sobie:

„Co pomyślą ludzie, jeśli moje dziecko będzie takie uparte?"

Skłonienie dziecka do współpracy wymaga udziału tylko dwóch osób: ciebie i jego. Nie pozwól, by zmartwienia opinią innych ludzi zmąciły twój spokój.

Zamiast tego powiedz sobie:

„Moim celem jest ochrona dziecka przed niebezpieczeństwem, jakie niesie za sobą nadmiar słońca"

Pamiętaj, czemu kazałaś dziecku nałożyć olejek do opalania. Jego odmowa jest jedynie drobnym utrudnieniem, nie może natomiast być źródłem wstydu.

Dialog z dzieckiem

Nie poddawaj się. Nie mów:

„Mam dość zmagania się o olejek do opalania. Jak się poparzysz, może się czegoś nauczysz"

Naturalne konsekwencje często są dobrą metodą motywacji, jednak czasem bywają zbyt niebezpieczne, by pozwolić sobie na dopuszczenie do nich. To właśnie jeden z takich przypadków. Kiedy mówisz dziecku, że nie dbasz o to, czy się sparzy, dajesz mu do zrozumienia, że nie zależy ci na nim na tyle, by pilnować przestrzegania zasady.

Zamiast tego przypomnij o regule. Powiedz:

„Co mówi reguła o wychodzeniu na słońce?"

Prosząc dziecko, by wyrecytowało regułę, nie tylko przypominasz mu o tym, czego od niego oczekujesz, ale także pomagasz mu przyswoić odpowiednie zachowanie. W końcu stanie się ono nawykiem, o którym nie trzeba już przypominać.

Nie groź. Nie mów:

„Jeśli natychmiast tu nie przyjdziesz, spiorę cię na kwaśne jabłko!"

Kara za brak współpracy zintensyfikuje jedynie strach i złość dziecka; nie zmotywuje go natomiast do nauczenia się ważnych lekcji dbania o własne bezpieczeństwo. Groźba przemocy fizycznej będzie zaś dla niego informacją, że silniejsi mają rację – tej lekcji nigdy nie powinno poznawać.

Zamiast tego zadaj pytanie. Powiedz:

„Czy możesz mi powiedzieć, dlaczego nie lubisz olejku?"

Gdy zrozumiesz obiekcję dziecka, będziesz umiała je rozwiać i zyskać jego współpracę. Jeśli na przykład nie podoba mu się zapach, możesz poszukać środka, który będzie pachniał przyjemniej. Ta pełna zrozumienia postawa pokazuje malcowi, że szanujesz jego uczucia.

Nie przekupuj. Nie mów:

„Jeśli pozwolisz mi natrzeć się olejkiem, kupię ci jakieś słodycze"

Przekupstwem uczysz dziecko, że jego współpraca może mieć cenę – a także tego, że manipulowanie innymi i „kupowanie" ich posłuszeństwa jest w porządku.

Zamiast tego zaproponuj umowę. Powiedz:

„Gdy będziesz miał na sobie olejek do opalania, będziesz mógł iść na basen"

Reguła Babuni pomaga wam oboju osiągnąć kompromis, realizując wasze priorytety – najpierw twój, potem jego.

Nie strasz. Nie mów:

„Jeśli nie posmarujesz się olejkiem do opalania, dostaniesz raka!"

Grożąc tragicznymi konsekwencjami, być może zmotywujesz dziecko do spełnienia twoich poleceń ze strachu, jednak nie nauczysz go, jak się chronić.

Zamiast tego zachowaj pozytywne nastawienie. Powiedz:

„Musimy chronić skórę przed słońcem, żeby się nie poparzyć. Olejek sprawia, że jesteśmy zdrowi i bezpieczni"

Koncentrując uwagę dziecka na dbaniu o siebie, wyrabiasz w nim zdrowe nawyki.

ROZDZIAŁ 63

„Czas iść do doktora"
„Nie! Nie chcę iść do doktora!"

Gdy nie wiemy, co nas czeka, pójście do lekarza, dentysty czy do szpitala jest jak wskakiwanie w sam środek czarnej dziury. Przypomnij sobie, jak sama czułaś się jako dziecko, gdy musiałaś iść do doktora – a zrozumiesz, jak bardzo przerażona musi być twoja pociecha. By zachować jej zaufanie, opowiedz jej prawdę o tym, co ją czeka (np. to, że lekarz zajrzy do jej gardła i uszu). Pomóż maluchowi znieść każdą ewentualność, mówiąc o tym, że razem poradzicie sobie ze wszystkim, co może się wydarzyć u doktora.

Przydatne wskazówki

- Wybierz lekarza, który odnosi się do dzieci życzliwie, dobrze się z nimi dogaduje, oraz pozwala rodzicom zostawać w czasie zabiegów ze swymi pociechami. Wybór może być ograniczony przez twoje ubezpieczenie, jednak zrób, co możesz, by podjąć optymalną decyzję.
- Mów dziecku, że *pora* iść do lekarza, nie zaś, że *musi* do niech iść.

Dialog ze sobą

Nie mów sobie:

„Tak mi wstyd, gdy dziecko robi w gabinecie awanturę"

Jeśli będziesz odczuwać wstyd, trudniej będzie ci pomagać dziecku znosić zaistniałą sytuację. Pamiętaj, że z jego zachowania powinnaś wyciągać wnioski co do tego, czego malec potrzebuje. Skup zatem swą uwagę na jego potrzebach, nie na tym, co inni mogą o tobie pomyśleć.

Zamiast tego powiedz sobie:

„Nie przeszkadza mi sporadyczna kłótnia w poczekalni. Inni rodzice na pewno też muszą sobie z tym radzić"

Mówiąc sobie, że wybuchy twojego malca nie są dla ciebie niczym strasznym, akceptujesz je jako naturalny element życia z małymi dziećmi. Jednocześnie unikasz zaprzątania sobie umysłu zdaniem osób postronnych.

Nie mów sobie:

„Co się z nią dzieje? Przecież chodzenie do lekarza wcale nie jest takie złe"

Przyjmując, że z dzieckiem jest coś nie w porządku, wyolbrzymiasz problem, czyniąc go niemożliwym do rozwiązania. Jednocześnie uniemożliwiasz sobie pomoc malcowi w przezwyciężeniu obaw.

Zamiast tego powiedz sobie:

„To nic, że boi się wizyt u lekarza. Odrobina ostrożności to dobra cecha"

Zauważ zalety ostrożności, zwiększając swą tolerancję na nieufność dziecka.

Dialog z dzieckiem

Nie poddawaj się. Nie mów:

„Ależ ty się boisz wizyty u lekarza! Cała drżysz! Odwołam ją"

Unikanie zdarzeń, które budzą strach twojego dziecka, nie pomoże mu nauczyć się, jak przezwyciężać obawy. Co więcej, narażanie jego zdrowia na niebezpieczeństwo – nawet powodowane chęcią ochronienia malca – jest nierozważne.

Zamiast tego zwróć uwagę dziecka na coś innego. Powiedz:

„Wiem, że nie chcesz iść, ale doktor dba o twoje zdrowie. Pomyślmy, co fajnego możemy robić w przychodni"

Skup uwagę dziecka na książeczkach, zabawkach, malowankach i innych rzeczach, którymi może się zająć, będąc u lekarza. Ucząc swą pociechę koncentracji na rzeczach przyjemnych, pomożesz mu radzić sobie z niemiłymi sytuacjami, które będą je spotykać przez całe życie.

Nie przypinaj etykietek. Nie mów:

„Nie zachowuj się jak małe dziecko! Pan doktor przecież cię nie skrzywdzi"

Nazywając malca „małym dzieckiem", dyskredytujesz jego obawy oraz pokazujesz mu, że nie wierzysz w jego zdolność poradzenia sobie z wyzwaniem. Niweczysz w ten sposób wszystkie swoje starania, by zmotywować swą pociechę do współpracy.

Zamiast tego zadawaj pytania. Powiedz:

„Co ci się nie podoba w chodzeniu do pana doktora?"

Pytając dziecko o opinię, łatwiej możesz zrozumieć jego strach. Jednocześnie pokazujesz mu, że pragniesz dowiedzieć się, co je trapi, i pomóc mu w przezwyciężeniu obaw. Wszystko to pomoże ci w zmotywowaniu malca do współpracy.

Nie zawstydzaj. Nie mów:

„Doktor nie lubi tchórzliwych dzieci"

Wywołując w dziecku poczucie wstydu, uczysz je, że niedoskonałe i nielubiane, ponieważ się boi. Pokazujesz mu również, że to, co czuje, określa to, kim jest – i że nigdy nie będzie dzielne. Wszystko to mity, których dziecko nie powinno poznawać.

Zamiast tego zmień centrum uwagi dziecka. Powiedz:

„Kiedy skończymy badanie, pojedziemy do babci na obiad. Ona zawsze się cieszy, gdy cię widzi"

Patrzenie w przyszłość i koncentrowanie uwagi na przyjemnym wydarzeniu pomoże dziecku przezwyciężyć strach.

ROZDZIAŁ 64

„Pora na lekarstwo"
„Nie! Nie chcę wziąć lekarstwa!"

Wiesz, że lekarstwo twojej pociechy źle pachnie, źle wygląda i zdecydowanie źle smakuje. Co robisz? Możesz czuć pokusę, by skłamać i powiedzieć, że jest pyszne i przyjemnie jest je brać, jednak lepiej będzie, jeśli zminimalizujesz jego cierpienie, pomiędzy poszczególnymi łykami specyfiku podając mu napoje smakowe lub cukierki. Stając się częścią rozwiązania, stajesz się również sprzymierzeńcem dziecka – a skutkiem ubocznym tego radosnego sojuszu jest współpraca.

Przydatne wskazówki

- Zawsze próbuj postawić się w sytuacji dziecka, by zrozumieć, co czuje. Pamiętaj też, żeby niesmacznemu lekarstwu towarzyszyło mnóstwo czułości.
- Dowiedz się w aptece, czy lekarstwo, które musi zażywać twoje dziecko, jest dostępne w przyjemnym smaku lub łatwiejszej do przyjęcia postaci.
- Unikaj narzekania na to, że sama musisz brać lekarstwa.
- Jeśli twoje dziecko ma kłopoty z przełknięciem lekarstwa, uczyń je bardziej znośnym, mieszając je z jedzeniem (o ile jest to dopuszczalne z medycznego punktu widzenia), używając specjalnej łyżki, lub zamieniając branie lekarstwa w zabawę. Jeśli masz wątpliwości odnośnie sposobu przyjmowania preparatu, porozmawiaj z lekarzem lub farmaceutą.

Dialog ze sobą

Nie mów sobie:

„Nie będę go zmuszać do czegoś, czego nie lubi"

Odmawiając stosowania się do zaleceń lekarza, narażasz zdrowie dziecka na niebezpieczeństwo. Możesz także obrócić takie nieposłuszeństwo w nawyk, który kiedyś może zagrozić nawet jego życiu.

Zamiast tego powiedz sobie:

„Moim zadaniem jest przestrzeganie zaleceń lekarza"

Ucząc dziecko radzić sobie z przeciwnościami, zawsze miej na względzie jego zdrowie i bezpieczeństwo.

Nie mów sobie:

„Weźmie to lekarstwo, choćbym miała mu je siłą wlać do gardła"

Używając siły, nie nauczysz dziecko współpracować. Zamiast tego przekonasz je, że agresja jest dopuszczalną metodą pozyskiwania czyjejś współpracy. Konieczność przyjmowania lekarstw jest dla malucha dostatecznie nieprzyjemna – nie czyń go jeszcze gorszym, stosując przymus.

Zamiast tego powiedz sobie:

„Nie chcę, by moje dziecko przyjmowało to paskudne lekarstwo, ale wiem, że małe przykrości są czasem konieczne"

To naturalne, że chcesz ochronić dziecko od cierpienia, jednak bycie odpowiedzialnym rodzicem oznacza konieczność nauczenia swej pociechy, jak znosić niedogodności, jakie serwuje nam życie.

Dialog z dzieckiem

Nie skarż. Nie mów:

„Czy mam powiedzieć pani doktor, że nie chcesz brać lekarstwa?"

Grożąc, że naskarżysz lekarzowi, sprawisz, że dziecko zacznie się go bać.

Zamiast tego zmień sytuację w zabawę. Powiedz:

„Wiem, że nie smakuje ci to lekarstwo, ale trzeba je brać, żeby być zdrowym. Zróbmy to na trzy-cztery. Gotowy? Trzy... cztery... i już!"

Podkreśl, jak ważne jest przyjmowanie lekarstwa, a jednocześnie spraw, że dziecko będzie lubiło to robić. Zmotywujesz dziecko obietnicą zabawy oraz twej uwagi – dla twej pociechy to kombinacja najlepsza z możliwych!

Nie gróź. Nie mów:

„Jeśli jeszcze raz wyplujesz lekarstwo, dostaniesz klapsa. Łykaj!"

Grożąc dziecku przemocą fizyczną, możesz osiągnąć chwilowe rezultaty, jednak przy okazji nauczysz je, że silniejszy ma rację. Co więcej, świadomość, że nie panuje nad sytuacją, sprawi, że poczuje się bezradne.

Zamiast tego zaproponuj umowę. Powiedz:

„Kiedy połkniesz lekarstwo, dam ci się napić mleka"

Reguła Babuni uczy dziecko, by znosiło nieprzyjemne doznania i cierpliwie czekało na zadośćuczynienie. Wiedząc, że będzie mogło zneutralizować paskudny smak czymś dobrym, poczuje, że kontroluje sytuację.

Nie gróź odebraniem przywilejów. Nie mów:

„Jeśli nie weźmiesz lekarstwa, nie pozwolę ci dzisiaj oglądać telewizji"

Odbierając dziecku prawo do oglądania telewizji, nie nauczysz go współpracy. Przeciwnie, sprowokujesz kłótnie, gdy dziecko będzie chciało włączyć telewizor.

Zamiast tego skup się na zaletach. Powiedz:

„To lekarstwo pomaga ci wyzdrowieć. Za każdym razem, gdy je bierzesz, czujesz się lepiej"

Podkreślając związek między lekarstwem i zdrowiem – oraz wykorzystując siłę sugestii – pomagasz dziecku nabrać chęci do współpracy. Jednocześnie uczysz go, że samo może dbać o zdrowie.

Nie upokarzaj. Nie mów:

„Sam powinieneś wiedzieć, że trzeba brać lekarstwo"

Sugerując, że to głupota powstrzymuje dziecko od współpracowania z tobą, tworzysz za jednym razem trzy problemy: robisz mu przykrość, pogarszasz jego samoocenę oraz sprawiasz, że zacznie jeszcze bardziej stanowczo odmawiać przyjęcia leku.

Zamiast tego chwal pozytywne cechy dziecka. Powiedz:

„Przykro mi, że nie lubisz tego lekarstwa, ale jest dzielny i silny, i na pewno uda ci się je przełknąć"

Utwierdzając dziecko w świadomości własnej siły i odwagi, zachęcasz je, by udowodniło ci, że faktycznie posiada te cechy. W ten sposób wygrywacie oboje: lekarstwo ląduje w brzuszku, a samoocena rośnie.

ROZDZIAŁ 65

„Musisz iść na zastrzyk”
„Nie! Nie chcę zastrzyku!”

Czy pamiętasz, jak bardzo bałaś się zastrzyku lub założenia szwów, gdy byłaś dzieckiem? Pamiętaj o tym, spokojnie i czule reagując na protesty dziecka. Mimo że malec nie ma w tej kwestii wyboru, okaż zrozumienie dla jego obaw, dodając mu odwagi i pewności siebie. Jednocześnie poproś o to, by lekarz lub pielęgniarka zastosowała miejscowe znieczulenie przed wykonaniem zastrzyku. Przekonanie, że ból kształtuje charakter, to fałsz. Najnowsze badania pokazują, że ból odczuwany we wczesnym dzieciństwie powoduje w przyszłości nadmierne reakcje na zastrzyki i inne bolesne zabiegi.[9]

Przydatne wskazówki

- Jeśli to możliwe, wybierz lekarza lub pielęgniarkę doświadczonych w dokonywaniu tego zabiegu, a jednocześnie dobrze radzących sobie z dziećmi.
- Unikaj opowiadania dziecku przerażających historii o tym, jak dostawałaś zastrzyki lub jak zakładano ci szwy – choć jednocześnie szczerze mów mu o tym, co się wówczas czuje. Nie chcesz przecież stracić jego zaufania, mówiąc mu, że to nic nie boli.
- Dowiedz się od lekarza, czy podczas robienia zastrzyku lub zakładania szwów dziecko może się czymś zająć. Dla przykładu może w trakcie zabiegu puszczać bańki przez słomkę.

Dialog z dzieckiem

Nie mów sobie:

„To moja wina, że potrzebuje szwów.
Powinnam była lepiej go pilnować”

Obwiniając się o wypadek dziecka, odwrócisz swą uwagę od obecnego problemu: strachu malca przed zabiegiem.

Zamiast tego powiedz sobie:

„Nie lubię oglądać, gdy moje dziecko czuje się nieswojo, ale czasem nie da się tego uniknąć. Teraz moim zadaniem jest to, by pomóc mu poradzić sobie z tą sytuacją"

Gdy zrozumiesz, że drobne niedogodności są czasem konieczne, by uniknąć większego cierpienia, łatwiej będzie ci ze spokojem podtrzymywać dziecko na duchu.

Nie mów sobie:

„Jest mi niedobrze, gdy patrzę, jak mojemu dziecku robią zastrzyk. Nie mogę mu towarzyszyć"

Ulegając własnemu lękowi przed igłami, gwarantujesz sobie, że nie będziesz w stanie pomóc dziecku wtedy, gdy będzie cię najbardziej potrzebować. Jednocześnie dajesz malcowi przykład, że przed wyzwaniem można uciec.

Zamiast tego powiedz sobie:

„Muszę przezwyciężyć mój strach przed zastrzykami, bym mogła pomóc mojemu dziecku pokonać swój"

Pamiętaj, że nerwowe oczekiwanie boli bardziej niż sam zastrzyk.

Nie mów sobie:

„To straszne! Nie mogę pozwolić, by moje dziecko cierpiało"

Wyolbrzymiając niedogodność dziecka, możesz zdecydować się na odrzucenie czegoś, co konieczne dla jego zdrowia. Rezygnacja z zastrzyku nie leży w niczyim interesie.

Zamiast tego powiedz sobie:

„Moim obowiązkiem jako rodzica jest pomoc dziecku w tym, by dzielnie zniosło zastrzyk"

Twoim zadaniem jest poradzenie sobie z obawami dziecka, dodanie mu otuchy i zapewnienie, że cały czas będziesz przy nim.

Dialog z dzieckiem

Nie wzbudzaj poczucia winy. Nie mów:

„Zrób to dla mamusi"

Stosując tę taktykę, sprawiasz, że dziecko zrobi, o co je prosisz jedynie po to, by sprawić ci przyjemność lub uniknąć twego rozczarowania. Powinno chcieć współpracować, ponieważ wymaga tego jego zdrowie, nie zaś dlatego że chcę zranić czyichś uczuć.

Zamiast tego zachowaj pozytywne nastawienie. Powiedz:

„Wiem, że nie chcesz dostać zastrzyku,
ale to konieczne dla twojego zdrowia"

Skoncentruj uwagę dziecka na korzyściach płynących ze zrobienia zastrzyku lub założenia szwów.

Nie ubliżaj. Nie mów:

„Nie bądź mięczakiem jak twój ojciec!"

Kiedy krytykujesz drugiego rodzica twojego dziecka, zmuszasz malca do opowiedzenia się po którejś ze stron. Pomyśli on wówczas: „Nie chcę być jak tatuś" i zgodzi się współpracować jedynie po to, by zostać „po dobrej stronie".

Zamiast tego komplementuj. Powiedz:

„Wiem, że jesteś dzielny i silny,
i na pewno potrafisz znieść zastrzyk"

Utwierdzając dziecko w świadomości własnej siły i odwagi, zachęcasz je do przezwyciężenia strachu.

Nie kłam. Nie mów:

„Zastrzyki nie bolą. Nie wiem, o co robisz taką awanturę"

Mówiąc dziecku nieprawdę i dyskredytując jego obawy, ściągasz na siebie kłopoty dwojakiego rodzaju: po pierwsze tracisz zaufanie malca, po drugie zaś dajesz mu do zrozumienia, że nie interesują cię jego uczucia.

Zamiast tego bądź szczera. Powiedz:

„Wiem, że zastrzyk trochę boli, ale to nie trwa długo. Kiedy siostra będzie ci robić zastrzyk, popuszczamy sobie bańki i zaraz się lepiej poczujesz"

Z odpowiednią czułością powiedz dziecku, że wiesz, co przeżywa. Twoje duchowe i fizyczne wsparcie pomogą mu uwierzyć, że zawsze będziesz mu mówić prawdę, a także – że zawsze będziesz przy nim, gdy będzie cię potrzebować.

Jeśli jesteś rodzicem,
wiedz, że to twoje największe wyzwanie.
To, co robisz każdego dnia,
to, co mówisz i jak się zachowujesz,
będzie miało większy wpływ na losy kraju
niż jakikolwiek inny czynnik.

MARION WRIGHT EDELMAN

DODATEK

Kamienie milowe rozwoju dziecka

Poniższa tabela przedstawia najważniejsze zjawiska, jakich rodzice mogą się spodziewać o dzieci w wieku od 1 do 5 lat. Zostały one uporządkowane według wieku, w którym zwykle występują. Należy jednak pamiętać, że każde dziecko rozwija się według własnego harmonogramu, toteż w konkretnym przypadku pewne zachowania mogą wystąpić wcześniej bądź później. Jeśli jesteś zaniepokojona poważniejszymi opóźnieniami w osiąganiu przez twoje dziecko poszczególnych etapów, lub też martwią cię inne zagadnienia związane z jego rozwojem, skonsultuj się z lekarzem, który opiekuje się nim.

Wiek	Zjawiska
1–2 lata	• Eksploruje otoczenie; wchodzi w różne rzeczy • Ucina sobie dziennie jedną długą drzemkę • Bawi się samo przez krótki czas • Zgłębia swoje ciało
2–3 lata	• Biega, wspina się, popycha, ciągnie – jest bardzo aktywne • Wydaje się, że ma koślawe nogi • Je rękoma i łyżką, pije z kubka • Potrafi zdejmować część ubrania • Bada swoje genitalia • Mniej śpi, łatwiej się budzi • Lubi ustalony porządek • Złości się, gdy mamy nie ma w domu na noc • Chce robić wszystko samodzielnie • Bywa uparte i niezdecydowane; często zmienia zdanie • Miewa napady złości; często zmienia nastroje • Naśladuje dorosłych • Bawi się obok rówieśników, ale nie z nimi • Nie potrafi się jeszcze dzielić, czekać, rezygnować • Lubi bawić się w wodzie • Przeciąga rytuał pożegnania na dobranoc • Używa pojedynczych słów i krótkich zdań • Często mówi „nie" • Rozumie więcej, niż potrafi powiedzieć

Wiek	Zjawiska
3–4 lata	• Biega, skacze, wspina się • Je samodzielnie; ładnie pije z kubka • Umie się ubrać i rozebrać • Może nie spać w porze drzemki, ale bawi się cicho • Reaguje na dorosłych, pragnie akceptacji • Wrażliwe na dezaprobatę • Współpracuje; lubi wykonywać proste zdania • Chce być częścią zespołu; jest na etapie „ja też!" • Ciekawe ludzi i rzeczy • Ma wyobraźnię; może się bać ciemności i zwierząt • Może mieć wyimaginowanego towarzysza • Może nocą wychodzić z łóżka • Gadatliwe; używa krótkich zdań • Umie czekać na swoją kolej; w ograniczonym zakresie cierpliwe • Potrafi spełniać proste obowiązki, no. odkładanie zabawek na miejsce • Umie się bawić samo, w grupie bywa kłótliwe • Przywiązane do rodzica płci przeciwnej • Zazdrosne, szczególnie o nowe dziecko w rodzinie • Okazuje poczucie winy • Daje znać o braku emocjonalnej pewności siebie, narzekając, płacząc i domagając się dowodów miłości • Rozładowuje napięcie ssąc palec lub ogryzając paznokcie
4–5 lat	• Dalej rośnie i przybiera na wadze • Staje się bardziej skoordynowane • Ma dobre nawyki w zakresie jedzenia, spania i załatwiania się • Jest bardzo aktywne • Zaczyna robić wiele rzeczy, ale niekoniecznie je kończy • Lubi się rządzić i chwalić • Bawi się z innymi, lecz jest asertywne • Urządza krótkie sprzeczki • Mówi wyraźnie i bardzo chętnie • Opowiada historie, często przesadza • Używa śmiesznych słów na określenie czynności fizjologicznych • Wymyśla nic nie znaczące słowa o dużej ilości sylab • Śmieje się, chichocze • Lubi się guzdrać • Myje się, gdy mu się każe • Pyta „jak?" i „dlaczego?" • Okazuje zależność od rówieśników